Ditadura e democracia no Brasil

1964, CINQUENTA ANOS DEPOIS:

A ditadura que mudou o Brasil
50 anos do golpe de 1964
Daniel Aarão Reis, Marcelo Ridenti e Rodrigo Patto Sá Motta (orgs.)

Ditadura e democracia no Brasil
Do golpe de 1964 à Constituição de 1988
Daniel Aarão Reis

As universidades e o regime militar
Cultura política brasileira e modernização autoritária
Rodrigo Patto Sá Motta

Daniel Aarão Reis

Ditadura e democracia no Brasil

Do golpe de 1964 à Constituição de 1988

2ª reimpressão

ZAHAR

Jorge Zahar Editor Ltda.
rua Marquês de S. Vicente 99 – 1º | 22451-041 Rio de Janeiro, RJ
tel (21) 2529-4750 | fax (21) 2529-4787
editora@zahar.com.br | www.zahar.com.br

Grafia atualizada respeitando o novo
Acordo Ortográfico da Língua Portuguesa

2ª reimpressão: 2014

Preparação: Kathia Ferreira | Revisão: Vania Santiago, Eduardo Monteiro
Composição: Letra e Imagem | Capa: Estúdio Insólito
Fotos da capa: © Arquivo/Agência O Globo; Marcelo Prates/Agência O Globo

CIP-Brasil. Catalogação na publicação
Sindicato Nacional dos Editores de Livros, RJ

Reis Filho, Daniel Aarão, 1946-

R31d Ditadura e democracia no Brasil: do golpe de 1964 à Constituição de 1988/Daniel Aarão Reis Filho. – 1.ed. – Rio de Janeiro: Zahar, 2014.

Inclui bibliografia
ISBN 978-85-378-1182-5

1. Brasil – História – 1964-1985. 2. Brasil – Político e governo – 1964-1985. I. Título.

CDD: 981.06
13-07594 CDU: 94(81)'1964/1985'

Sumário

1. Ditadura no Brasil: uma incômoda e contraditória memória

A DITADURA INSTAURADA em 1964 faz cinquenta anos.

Aconteceu, naquele ano, uma vitória fulminante das forças conservadoras no país. Apoiado em amplos movimentos sociais, quase sem dar um tiro, dobrando resistências que se imaginavam consideráveis, unificando quase todas as Forças Armadas e as principais instituições republicanas, um golpe de Estado depôs o presidente da República legalmente eleito e instaurou uma ditadura que durou quinze anos.

Ao longo das décadas, excetuando-se o décimo aniversário, em 1974, as datas redondas (1984, 1994 e 2004) do episódio assinalaram um progressivo encolhimento dos que, mesmo com ressalvas, identificavam-se com a ditadura ou a defendiam. Hoje, passado meio século, as forças políticas presentes na sociedade, pelo menos as de maior destaque, condenam a aventura golpista, e não é fácil encontrar alguém que a resgate numa chave positiva.

Como já ocorreu muitas vezes na história, ao virar as costas para o passado ditatorial e empreender a construção de uma alternativa, grande parte da sociedade brasileira preferiu demonizar a ditadura vigente nos anos anteriores e celebrar novos valores – democráticos. Tais valores, aliás, segundo diferentes, mas convergentes, versões, nunca teriam sido revogados da consciência nacional. O país fora, pura e simplesmente, subjugado e reprimido por um regime ditatorial denunciado agora como uma espécie de força estranha e externa. Como uma chapa de metal pesado, caída sobre vontades e pensamentos que aspiravam à liberdade.

Assim, em vez de abrir amplo debate sobre as bases sociais da ditadura, escolheu-se um outro caminho, mais tranquilo e seguro, avaliado politicamente mais eficaz, o de valorizar versões memoriais apaziguadoras onde todos possam encontrar um lugar.

Desde os anos 1980, para a elaboração da conciliação nacional e de um pacto democrático, tendeu a predominar a versão de que a sociedade brasileira apenas suportara a ditadura, como alguém que tolera condições ruins que se tornaram de algum modo inevitáveis, mas que, cedo ou tarde, serão superadas, como estava, de fato, acontecendo.

A ditadura fora escura noite, um tempo de trevas, mas vencera a manhã, confirmando os versos proféticos do poeta Thiago de Mello, formulados logo depois da vitória do golpe: "Faz escuro, mas eu canto, porque a manhã vai chegar." Manhã e noite. Numa arquitetura simplificada, muitos se confortavam com raciocínios polarizados. Opressão e Liberdade. Ditadura e Democracia. Repressão e Resistência. Esta última palavra tornou-se um mote, repetido à exaustão.

A sociedade fora silenciada pela força e pelo medo da repressão. Mas resistira. Por diferentes meios e caminhos, inúmeras vezes em silêncio, articulando os mais diferentes setores. Assim, a luta revolucionária contra a ditadura seria reinterpretada como uma forma de resistência ao absoluto fechamento do regime, uma tentativa imposta pela ausência de brechas institucionais que viabilizassem, de algum modo, as lutas democráticas, uma reação desesperada à falta de alternativas. Como se coubesse à ditadura a responsabilidade pela luta armada.

Contribuição relevante nesse sentido seria proporcionada por uma série de entrevistas e memórias formuladas por ex-guerrilheiros, entre as quais se destacou, desde logo, a de Fernando Gabeira. A saga guerrilheira ganhou aí uma versão simpática e bem-humorada, suscitando uma atmosfera de indulgência e de compreensão.[1] Os que haviam se levantado com armas nas mãos, bravos jovens, generosos, mas equivocados, teriam sido apenas, inconscientemente, uma espécie de "braço armado" da resistência democrática.

Outras memórias, com distintas orientações, embora de qualidade, não mereceriam a mesma acolhida porque não estavam sintonizadas com as aspirações majoritárias ao apaziguamento e à conciliação.[2]

A vitimização dos que lutaram contra a ditadura e a vigorosa denúncia contra ela ganhariam uma obra de síntese quando veio à luz, alguns anos mais tarde, o livro *Brasil: nunca mais*. Um longo trabalho preparado desde fins dos anos 1970, sob os auspícios da Arquidiocese de São Paulo. Oferecia-se ali, com base nos processos arquivados no Supremo Tribunal Militar (STM), copiados em segredo, uma sistematização fundamentada das denúncias contra as violações dos mais elementares direitos humanos, perpetrados pela "comunidade de informações", com a cumplicidade, ativa e passiva, dos tribunais, militares e civis, e do conjunto das instituições republicanas.[3] Os perseguidos pela mão pesada da ditadura não passavam de vítimas, torturadas, exiladas e assassinadas por um regime cruel e desumano.

Em 1979, o país parecia entrar em nova fase com a revogação dos Atos Institucionais, desde o início do ano, a aprovação da Lei da Anistia, em agosto, e o retorno, em seguida, dos exilados políticos. As grandes maiorias confortavam-se com a ideia de que a opção democrática, uma promissora alvorada, dispunha de fundas e autênticas raízes históricas.

Mas havia ali ainda muitos pontos cegos e alguns nós difíceis de desatar. Em destaque, os Centros de Operações de Defesa Interna (Codis), com seus braços armados, os Destacamentos de Operações e Informações (DOIs), responsáveis imediatos pela caça e tortura de muitos dos que se opuseram ao regime. Prefiguradas já na *Operação Bandeirantes*, em São Paulo, em funcionamento desde 1969, e nacionalmente organizadas a partir de setembro daquele ano, essas agências da repressão continuavam vivas e ativas. Intocadas. E inconformadas com o processo de transição democrática. Eram a expressão militar radicalizada de um conjunto de forças políticas conservadoras que observavam com reservas o retorno do regime democrático e que detinham considerável influência e poder de decisão no governo federal, em governos estaduais e municipais, sem falar no Poder Judiciário e no Congresso Nacional.*

Além disso, no topo do poder, o presidente eleito – por seis anos – era um general, sufragado, em novembro de 1978, por um Congresso tolhido pelo regime de exceção, mais ditador do que presidente. Como compatibilizar a anomalia com um regime democrático?

E o que dizer de toda uma legislação ditatorial legada pelos abortos constitucionais de 1967 e de 1969, mutilada e remen-

* Não esquecer que a Lei da Anistia, embora restrita e condicional, foi aprovada no Congresso por escassa margem: 206 × 201 votos.

dada por decisões arbitrárias escoradas nos Atos Institucionais, condicionando o conjunto da vida política, um verdadeiro "entulho autoritário", como muitos desde então denunciavam?

Evidenciavam-se, de forma clara, os obstáculos e as barreiras que aquela transição democrática, apenas iniciada, iria enfrentar.

Sem embargo, na atmosfera do verão da anistia, na virada para o ano de 1980, havia uma certa euforia no ar, um tanto ingênua talvez, ignorante dos perigos que a cercavam, mas indicativa de um conjunto de forças que passara a preconizar, embora com distintas motivações e diferentes objetivos, o fim da ditadura. Assim, depois de longa, triste e cruel noite, triunfara a "resistência", para a qual todos e cada um haviam dado a própria contribuição.

Entretanto, havia conflitos na memória veiculada sobre o golpe de 1964.

Na segunda metade dos anos 1980, reagindo à comoção, às polêmicas e às acusações suscitadas por *Brasil: nunca mais*, o ministro do Exército, Leônidas Pires Gonçalves, autorizou, em 1985, a Seção de Informações do Centro de Informações do Exército (CIE) a preparar versão própria dos acontecimentos. Tomou corpo, então, o chamado Projeto Orvil ("livro", ao contrário), que resultou, dois anos depois, num volumoso trabalho de quase mil páginas, justificando o golpe e explicando a ditadura como recurso último e legítimo contra ações esquerdistas que desembocariam, caso não fossem contidas pela violência, na instauração de uma ditadura socialista no país. Considerado inconveniente nas circunstâncias, o texto acabou não sendo divulgado. Entretanto, antes de ser recentemente editado, circulou de forma clandestina por anos a fio, oferecendo argumentos aos que se mantiveram fiéis à memória positiva dos chamados "anos de chumbo".[4]

Foi necessário esperar os anos 1990 para que se editassem as primeiras versões dos chefes militares, numa iniciativa de caráter acadêmico do Centro de Pesquisa e Documentação de História Contemporânea do Brasil (CPDoc), da Fundação Getulio Vargas (FGV). Assim, foram publicados três volumes com depoimentos sobre o golpe, os governos ditatoriais e o processo que levou à redemocratização do país.[5] Em seguida, em fins da mesma década, surgiu um extenso depoimento do general Ernesto Geisel e, anos depois, um dossiê sobre sua trajetória, apresentados, ambos, com rigor e análise acadêmicos.[6] Em 2004, seria lançada uma biografia de Humberto de Alencar Castello Branco, o primeiro presidente-ditador do regime instaurado em 1964, já aí com claro viés laudatório.[7] Ainda em 2004, a Biblioteca do Exército voltaria a apresentar, em dez volumes, em tom positivo, compreensivo, ou francamente de celebração, ao lado de alguns poucos intelectuais ou lideranças civis, as interpretações de oficiais das Forças Armadas sobre a "revolução democrática" e a ditadura que se seguiu.[8]

Na mesma linha, a princípio de forma tímida, mais tarde com alguma desenvoltura, seriam redigidos livros de "combate", condenando-se, com veemência, o "terrorismo" de esquerda e justificando-se a implantação da ditadura para salvar o país do comunismo e da corrupção. Destacaram-se nessa espécie de missão, além de ex-chefes militares de renome, intelectuais de direita e notórios torturadores.[9]

Nesse quadro complexo de memórias diferenciadas e contraditórias, não se pode ignorar, no entanto, a predominância, largamente hegemônica, das referências propostas e fixadas em 1985 pelo *Brasil: nunca mais*. Elas se tornaram uma espécie de lugar-comum. Habitam discursos políticos, livros didáticos, filmes e materiais diversos de análise e divulgação. Podem ser sintetizadas numa tese: a sociedade brasileira viveu a ditadura como um pesadelo que é preciso exorcizar. Tal fórmula ganharia alento, e ampla difusão, com a constituição no Arquivo Nacional do Centro de Referência das Lutas Políticas no Brasil, também chamado de "Memórias Reveladas", instituído em 2005 por decreto do então presidente Luiz Inácio Lula da Silva e vinculado diretamente à Casa Civil da Presidência da República. Ali se passou a formular uma espécie de "história oficial das lutas contra a ditadura", consagrando-se uma certa cronologia (1964-1985) e se ocultando, cuidadosamente, as relações complexas entre a ditadura e a sociedade brasileira, em especial, os apoios e as bases sociais com os quais a ditadura contou desde sua gênese e enquanto existiu.[10]

Faz parte também da reconstrução da história a constituição, desde 2012, da chamada Comissão Nacional da Verdade (CNV). Demasiadamente dependente do governo federal, sem a necessária autonomia, a CNV, porém, no início de seus trabalhos, distanciou-se das teses dos "dois demônios" e definiu como sua atribuição básica a investigação dos crimes cometidos pelos agentes do Estado durante o último período ditatorial. O grande problema é o "muro de silêncio", imposto pelas Forças Armadas. Ora, parece evidente que, sem quebrá-lo ou contorná-lo, pouco se poderá aprofundar o conhecimento a respeito dos assuntos que precisam ser esclarecidos. A CNV, em fins de 2013, encontrava-se numa situação crítica, com perda de membros efetivos, demissões de assessores e, principalmente, uma certa imprecisão quanto a seus objetivos e rumos.

Suas ambiguidades e ambivalências são o resumo – e a síntese – das ambiguidades e ambivalências com que a sociedade mais ampla tem enfrentado essas questões.

O interessante é que as Forças Armadas, como se fossem "um Estado dentro do Estado", continuaram sustentando, e sustentam até hoje, a versão divulgada pelo Projeto Orvil, o que se pode verificar em sites, colégios, escolas e centros de formação militares e em clubes que reúnem as oficialidades de Exército, Marinha e Aeronáutica. Em outras palavras, para as Forças Armadas, a ditadura continua sendo apresentada – e cultivada – como uma "revolução democrática" que salvou o país do comunismo e do caos.

Entretanto, essas versões, saturadas de memória, não explicam nem conseguem compreender as raízes, as bases e os fundamentos históricos da ditadura, as complexas relações que se estabeleceram entre ela e a sociedade e, em contraponto, o papel desempenhado pelas esquerdas no período. Também não explicam, nem conseguem compreender, a ditadura no contexto das relações internacionais e na história mais ampla deste país – as tradições em que se apoiou e o legado de seus feitos e realizações que perdura até hoje.

Este é o desafio que o presente livro pretende enfrentar.

No próximo capítulo, o segundo, começaremos pelo início: o processo que desembocou na instauração da ditadura. Trata-se de reconstruir o contexto internacional e os grandes movimentos sociais que fizeram da primeira metade dos anos 1960 o período mais quente da história republicana, quando a sociedade esteve numa encruzilhada de caminhos alternativos. Como complemento, serão revisitadas as versões sobre 1964: uma revolução? Um simples golpe de Estado?

No terceiro capítulo, estudaremos o desenvolvimento contraditório dos dois primeiros governos ditatoriais, as oscilações de uma ditadura "envergonhada",* os zigue-zagues, o que se conservou e o que mudou, as oposições encontradas, em particular os movimentos que levaram ao turbulento ano de 1968.

O quarto capítulo apresentará e discutirá os êxitos da modernização conservadora, os anos de ouro e de chumbo do regime no quadro da retomada das tradições nacional-estatistas, inauguradas por outra ditadura, a do Estado Novo. O enfrentamento com os programas revolucionários de esquerda e a exacerbação da repressão e da tortura como política de Estado. O impacto que as propostas de esquerda tiveram no contexto de uma sociedade que, afinal, nunca se rebelou de forma radical contra a ordem vigente.

No quinto capítulo, a análise se voltará para o governo Ernesto Geisel e os planos de institucionalização do regime ditatorial. As relações complexas entre a distensão, "lenta, segura e gradativa", e a repressão. As proezas e as contradições do "milagre econômico", a radicalização do nacional-estatismo, o desmantelamento completo das esquerdas e o ressurgimento e fortalecimento de oposições democráticas.

No sexto capítulo observaremos como se foi extinguindo a ditadura, redefinindo-se, transformando-se, transitando lentamente para o regime democrático, mudando de pele como um camaleão muda de cores, numa lenta metamorfose que até hoje suscita polêmicas a respeito de quando, efetivamente, terminou. Nossa escolha recai em 1979, quando deixou de existir o estado de exceção, com a revogação dos Atos Institucionais,

---

* A expressão é de Elio Gaspari, cf. Bibliografia.

e foi aprovada a Lei da Anistia, ensejando o retorno dos exilados. Daí em diante, abriu-se um período de transição, até 1988, quando se aprovou uma nova Constituição, a "Constituição cidadã", segundo o discurso oficial.

No sétimo e último capítulo será analisada a obra constitucional, celebrada como o marco definitivo do restabelecimento de um regime democrático "consolidado". A finalidade será avaliar as mudanças e as continuidades em relação ao regime ditatorial e a forma como elas se combinaram com as propostas de construção de uma democracia fundada sobre as liberdades individuais e o Estado de Bem-Estar Social. Será importante aí a avaliação do legado da ditadura, a permanência, ou não, de referências, leis e instituições criadas ou reforçadas pelo regime instaurado em 1964, explicitando-se as relações complexas com a tradição nacional-estatista, sólida cultura política nacional. Aprovada a Constituição, fechou-se um ciclo. Da ditadura fez-se a democracia. Cordialmente, macunaimicamente, brasileiramente.

Encerrando o livro, à maneira de posfácio, serão apresentadas reflexões a respeito da ditadura e da democracia no contexto geral da história do Brasil.

2. A gênese da ditadura (1961-1964)

A VITÓRIA DO MOVIMENTO civil-militar que derrubou o presidente João Goulart em fins de março e começo de abril de 1964 encerrou a experiência republicana iniciada em 1945.

Nascera então um estado de direito regido pela Constituição de 1946, em contraste com a ditadura aberta do Estado Novo, e um regime democrático, mas limitado, marcado pelas tradições autoritárias da ditadura que o antecedera. O autoritarismo era evidente na exclusão do jogo político de amplas camadas populares, por analfabetas; no estrito controle estatal das estruturas corporativas sindicais, herança intocada da ditadura varguista; no domínio incontrastado dos monopólios latifundiários – e do poder dos senhores de terra sobre a maioria da população, ainda vivendo no campo, onde a lei mal chegava, ou não chegava; na repressão intermitente dos movimentos populares; na tutela militar, onipresente, característica da República brasileira desde sua fundação.

Apesar dos pesares, ao longo do tempo, às margens do estado de direito e de uma democracia "autoritária", e nos parâmetros da cultura política nacional-estatista, hegemônica, construíra-se uma versão popular dessa cultura, liderada pelo trabalhismo brasileiro, associado a outras forças de esquerda – progressistas, socialistas e comunistas.

A instauração da ditadura, em 1964, destruiu tudo isto: o estado de direito, a democracia limitada e a versão trabalhista do nacional-estatismo.

Porém, não foi um raio que desceu de um céu sem nuvens. Na história humana, não há raios que desçam de um céu azul. A ditadura resultou de uma conjunção complexa de condições, de processos e de ações, cuja compreensão permite elucidar o que deixou surpresos e perplexos os contemporâneos, vencidos e vencedores.

A América Latina e o "terceiro mundo": o nacional-estatismo em luta pela autonomia

Uma primeira chave compreende não apenas o Brasil, mas a América Latina e o "terceiro mundo", termo impreciso que, na conjuntura posterior à Segunda Guerra Mundial, designava as sociedades que não pertenciam nem ao "primeiro mundo", constituído pelos países capitalistas prósperos, nem ao "segundo mundo", os países socialistas.

Desde fins do século XIX, principalmente para os povos que habitavam o "terceiro mundo", a grande questão era conquistar o desenvolvimento autônomo. Na rede armada pela internacionalização do capital (comércio de mercadorias e exportação de capitais), combinada à expansão territorial (partilha colonial do mundo), laços de dependência foram tecidos, dificultando, ou impedindo, a autonomia dos povos africanos, asiáticos e latino-americanos, mesmo para aqueles que não chegaram a ser transformados em colônias diretas, como a China, ou tinham deixado de sê-lo, como quase toda a América Latina.

A Primeira Guerra Mundial e os críticos anos 1920 e 1930 abriram brechas. A vitória da Revolução Russa e a construção do socialismo soviético evidenciaram a viabilidade de uma alternativa. Posteriormente, o surgimento do corporativismo de Estado, do fascismo e do nazismo e a crise geral das economias liberais suscitaram novos caminhos alternativos.

A consequência foi o esgarçamento dos laços de dependência, criando-se melhores condições para a formulação de programas políticos autonomistas em torno da estruturação de um Estado nacional, base do que se convencionou chamar de *nacional-estatismo*. Nacional, pela ambição de tomar cada povo como uma única identidade. Estatal, por ser considerado o Estado o melhor instrumento histórico para articular a vontade nacional na direção de um processo autônomo de modernização.

O berço histórico desse programa, paradoxalmente, residia nas revoluções de fins do século XVIII – americana e francesa –, e era irônico vê-lo agora ser tomado das mãos de seus criadores para se voltar contra os interesses das potências capitalistas, frutos maduros daquelas revoluções. Não por acaso, as lideranças nacional-estatistas no "terceiro mundo" eram versadas nos debates que, a partir da Europa, se disseminaram pelo planeta com a mesma rapidez que suas mercadorias e capitais.

As propostas de construção de um Estado nacional soberano eram elaboradas na Ásia desde antes da Primeira Guerra. Depois dela, tenderam a ganhar alento, personalizando-se nas figuras dos "pais da pátria": Sun Yat-sen, na China; Mahatma Gandhi e Jawaharlal Nehru, na Índia; Mustafa Kemal, na Turquia.

Essas diferentes iniciativas procuraram explorar os espaços criados pelo enfraquecimento das potências, ou/e pela rivalidade entre elas. Esboçaram projetos ambiciosos com as seguintes características comuns: um Estado forte e intervencionista, quase sempre autoritário, quando não, ditatorial; um planejamento mais ou menos centralizado; um movimento nacional, um partido ou, no limite, o próprio Estado, ou uma de suas agências (por exemplo, o Exército), capaz de congregar as diferentes classes em torno de uma ideologia nacional e de lideranças carismáticas, baseadas em uma associação concertada entre Estado, capitalistas e trabalhadores, articulados em perspectivas corporativistas. Era aí disseminada a crítica aos princípios do capitalismo liberal.

Em oposição ao liberalismo, defendia-se a lógica dos *interesses nacionais* e da *justiça social*, o que um Estado intervencionista e regulador trataria de garantir. No transcurso da Segunda Guerra, as grandes potências foram obrigadas a conciliar com esses projetos. Por outro lado, a luta contra o nazifascismo exigia compromissos de respeito à autodeterminação dos povos e aos princípios democráticos, o que também favorecia as aspirações pela independência nacional.

Assim, quando acabou a guerra, em 1945, abriu-se um horizonte favorável, ainda mais amplo porque os Estados Unidos e a União das Repúblicas Socialistas Soviéticas (URSS), as duas novas superpotências, embora com intenções diversas, estavam também interessadas no fim dos velhos impérios coloniais. Contudo, as coisas não se passaram da mesma forma nas várias regiões do chamado "terceiro mundo".

Na Ásia, a conjuntura do imediato pós-guerra foi auspiciosa. O Japão não ameaçava mais e as potências europeias encontravam-se fragilizadas. Assim, conseguiu-se o reconhecimento da independência de uma série de países: Filipinas (1946), Índia e Paquistão (1947), Birmânia e Ceilão (1948), Indonésia (1949). Em alguns casos, a reação das velhas potências coloniais, auxiliadas, às vezes ambiguamente, pelos Estados Unidos, retardaria o processo de independência nacional ou imporia limitações ou partilhas de territórios, como no Vietnã e na Coreia. A sombra da Guerra Fria passara, cada vez mais, a condicionar os cálculos dos atores políticos. Mas não foi possível impedir a conquista de consideráveis margens de autonomia para a região. A vitória da Revolução Chinesa, em 1949, deu novo impulso ao processo. Foi uma primeira revolução nacional que se tornou socialista, apesar das fórmulas atenuantes (República Popular) adotadas pelos comunistas.

No mundo muçulmano e entre os países árabes, os movimentos autonomistas, esboçados desde o fim da Segunda Guerra, tornaram-se irreversíveis na primeira metade dos anos 1950, com o nasserismo e, um pouco mais tarde, através da Revolução Argelina, em 1962, e do *socialismo árabe* na Síria e no Iraque. Também ali haveria um trânsito do nacionalismo para o socialismo, sem que os termos se excluíssem, ressalvadas as características específicas do socialismo árabe, que, às vezes, se aliaria à União Soviética, mas sempre mantendo perfil próprio.*

Na África subsaariana, desde a segunda metade dos anos 1950 registrou-se um primeiro êxito: a independência de Gana, em 1957. Na sequência, houve uma onda nacionalista, nos anos 1960, com a fundação da Organização da Unidade Africana (OUA) e o desfazimento dos impérios coloniais francês e inglês. No cenário internacional, destacavam-se líderes nacionalistas

* A aliança com a URSS não impediria governos nacionalistas árabes de perseguir, torturar e matar os "seus" comunistas sob o olhar conciliatório dos soviéticos.

mais radicais (Kwame Nkrumah – Gana; Ahmed Sékou Touré – Guiné; Patrice Lumumba – Congo ex-belga), que procuravam alianças com o mundo socialista em mais um sinal de aproximação entre nacionalismo e socialismo.

É verdade que muitas das independências então conquistadas eram mediadas por pactos neocoloniais que mantinham a dependência econômica. Era notável a diversidade entre os povos que haviam conquistado a soberania pela luta armada ou por amplos movimentos sociais e os que a haviam ganho por meio de barganhas de distinta natureza. De um lado, a libertação nacional; de outro, a descolonização – termos que recobriam diferentes processos, programas e alianças, manifestando as nuanças que poderiam revestir os movimentos nacionalistas.

No entanto, apesar disso, o processo abriu horizontes – e esperanças. A Conferência de Bandung, na Indonésia, realizada em 1955, estabeleceria os marcos de uma *utopia terceiro-mundista*, baseada no não intervencionismo e no respeito à autodeterminação das nações. Fundamentava-se na crença de que as sociedades libertadas tinham mais afinidades (inimigos comuns, passado colonial ou semicolonial, estágio semelhante de desenvolvimento econômico e de dependência) do que antagonismos.

A saga dessa utopia, os desencontros que a levaram ao declínio, à derrota e ao desaparecimento, ainda merece estudos para ser mais bem compreendida.

Na América Latina, as coisas tomaram rumos específicos.

A presença dos Estados Unidos, reforçada pela vitória na Segunda Guerra Mundial e pelo enfraquecimento ou inexistência de rivais, contribuiu para um realinhamento de interesses e de alianças. Nesse quadro, os projetos autonomistas entraram em crise. No Brasil, na conjuntura de 1945, houve a queda de Getúlio Vargas e a eleição de Eurico Gaspar Dutra, evidenciando-se um movimento favorável ao estreitamento das relações com os Estados Unidos à custa da ditadura do Estado Novo. A evolução incluiria uma notável reviravolta de altos chefes militares, que, havia pouco, não escondiam simpatias pelas ditaduras corporativistas ou mesmo pelo fascismo.

No entanto, a cultura política e as instituições-chave do nacional-estatismo não desapareceram no continente nem no Brasil.

As resistências atestam a sua força remanescente.

O peronismo na Argentina, a Revolução Boliviana, em 1952, a Aliança Popular Revolucionária Americana (Apra) no Peru, o movimento popular-democrático na Venezuela, o nacionalismo mexicano, o último mandato de Getúlio Vargas, entre 1951 e 1954, no Brasil, além de movimentos na América Central, como o reformismo revolucionário na Guatemala, também em 1954, confirmam as raízes históricas e sociais do programa nacional-estatista.

Entretanto, a proposta de um desenvolvimento dependente e associado aos capitais internacionais ganhou força, sobretudo a partir da segunda metade dos anos 1950, quando novas reestruturações da divisão internacional do trabalho permitiram a alguns países – Brasil, Argentina e México – estabelecer políticas de atração aos capitais internacionais e dispor de condições para empreender surtos industrializadores. As alianças então constituídas continuaram a minar, mas não chegaram a destruir as bases do nacional-estatismo.

Nem todos os dados estavam ainda jogados.

A vitória da Revolução Cubana, em 1959, e os avanços de outras revoluções conferiram novo alento aos movimentos nacional-estatistas latino-americanos.

O enfrentamento entre Cuba e os Estados Unidos da América empolgava as correntes nacionalistas, que se reconheciam na utopia da *Nuestra America*, um sonho de José Martí, revolucionário cubano de fins do século XIX. Tratava-se de unir os povos americanos ao sul do Rio Grande (que marca a fronteira entre os Estados Unidos e o México), afastando os "diabos louros de olhos azuis". O discurso assemelhava-se às plataformas afro-asiáticas formuladas em Bandung.

Assim, numa perspectiva histórica, a Revolução Cubana pode ser avaliada como um outro elo, mais radical, da longa luta do nacionalismo latino-americano pela conquista da autonomia. As declarações sobre o caráter socialista do regime cubano deveriam ser compreendidas antes como uma imposição do cerco dos Estados Unidos – e de uma aliança de defesa com a URSS – do que como uma evolução interna da própria revolução. Contudo, era mais uma revolução nacionalista, como na China e no mundo árabe, que transitava para o socialismo, e este sinal estimulava sonhos e inquietações. Entre os revolucionários, germinava a ideia de fazer do nacionalismo a antessala do socialismo. Entre os conservadores, brotavam a dúvida e o medo das bandeiras nacionalistas – em que medida, uma vez realizadas, elas não poderiam levar de roldão a ordem capitalista vigente?

O fato é que todo esse processo incendiava as imaginações. As utopias pareciam ao alcance das mãos – um fermento e um alarme.

Foi nesse contexto internacional que se abriu uma conjuntura de grandes lutas sociais, inédita na história da República brasileira. O marco inicial foi a renúncia do presidente Jânio Quadros, em agosto de 1961.

1961-1964: a derrota do nacional-estatismo popular no Brasil

Jânio fora eleito, em outubro de 1960, com discursos ambíguos: ziguezagueava por distintas correntes, dando no cravo e na ferradura. Para as classes médias, ele era o homem que combateria sem trégua a corrupção. Para outros, muitos, era o *outsider*, não comprometido com partidos e com "tudo que está aí". Aos liberais, criticava o Estado. Aos esquerdistas, elogiava o general Gamal Abdel Nasser, no Egito, e Fidel Castro, em Cuba. Bajulava os ricos e cortejava os pobres, candidatando-se a ser a expressão da luta do "tostão" contra o "milhão". Habilidoso, fora capaz de articular a seu favor um leque amplo e contraditório de forças: oligarcas liberais, classes médias, contingentes de camadas populares. Estavam todos, por diferentes razões, descontentes com os rumos da sociedade. A euforia provocada pelo crescimento econômico da segunda metade dos anos 1950, e trombeteada com notável vigor pela mídia associada ao governo, cedera lugar a apreensões. As contradições acumulavam-se, evidentes, questionando a memória idílica do período de governo de Juscelino Kubitschek de Oliveira, o JK (1956-1960), construída posteriormente como a época dos *anos de ouro*.

Entre 1959 e 1960, uma onda inédita de movimentos grevistas revelava o descrédito do governo entre as camadas populares, cujos salários e rendimentos eram corroídos por uma inflação que andava a galope e contra a qual não havia nenhum dispositivo de controle. Os reajustes, quando obtidos, eram logo superados pelos preços, suscitando protestos e lutas. Por outro lado, as oposições liberais batiam firme em seus temas prediletos e tradicionais – com ênfase nos escândalos financeiros e na corrupção. Entre as próprias elites sociais, muitas beneficiadas pelo surto desenvolvimentista, alastrava-se a insatisfação, atribuída aos métodos e procedimentos do presidente, acostumado a contornar resistências com seus *grupos executivos*, dispositivos que, ao lado das estruturas tradicionais, sem confrontá-las, tocavam os projetos considerados prioritários, como a construção da nova capital federal, Brasília.

O melhor atestado do desgaste de JK é o fato de que nenhum dos candidatos às eleições presidenciais de 1960 reivindicava o seu legado. Era o caso até mesmo do marechal Henrique Teixeira Lott, apoiado pela coligação formada pelo Partido Social Democrático (PSD) e pelo Partido Trabalhista Brasileiro (PTB), que sustentara o governo JK, mas que permitia a disseminação de críticas que o apresentavam como "entreguista". Embora os referidos partidos tivessem compartilhado o poder, ao longo de cinco anos o discurso do candidato parecia também de oposição, como os de Jânio Quadros e Adhemar de Barros, os outros dois concorrentes.

Em grande medida, JK colhia o que semeara de ambivalências.

Quando assumira a Presidência, em 1956, as oposições não tinham dúvida: JK era um homem de Getúlio Vargas, a quem elas haviam deposto em agosto de 1954. O fantasma do grande líder, cujo suicídio imaginavam ter enterrado a tradição nacional-estatista, condenada, segundo elas, pela história, voltava, transmudado no sorridente líder do PSD de Minas Gerais. Fizeram, em consequência, o possível e o impossível para impedir sua candidatura e posse. Derrotadas, passaram para uma oposição sistemática e feroz.

O programa desenvolvimentista empreendido por JK, porém, os *50 anos em 5*, não foi desdobramento fiel do segundo mandato de Getúlio Vargas, marcado por crescente orientação nacionalista e abertura para a defesa dos interesses dos trabalhadores. É certo que alguns aspectos essenciais de seu legado foram mantidos, como o intervencionismo estatal, os investimentos em infraestrutura (Plano de Metas), a integração controlada dos trabalhadores (afrouxamento da tutela ministerial sobre o movimento sindical e gestão associada da Previdência Social). No entanto, se, por um lado, as aberturas e os incentivos aos capitais internacionais ajudaram a manter altos os índices de desenvolvimento industrial, por outro conduziram à estruturação de um novo modelo de desenvolvimento, no qual se enfraqueciam referências caras às tradições nacional-estatistas, fixadas desde sua gênese na ditadura do Estado Novo.

No hibridismo do Programa de Metas de JK, era como se fossem incorporados – e excluídos –, ao mesmo tempo, reivindicações e interesses das forças políticas que se digladiavam na cena política brasileira. As oposições liberais celebravam a associação com os capitais internacionais, mas continuavam a combater o Estado intervencionista e a aliança com os sindicatos urbanos. Já as esquerdas e os trabalhadores criticavam o *entreguismo* do governo, desprezando os índices de crescimento logo que se tornou claro que a inflação comia os salários das camadas populares. Além disso, preferiam a reforma agrária à construção de Brasília.

Assim, em fins dos anos 1950, era claro que o otimismo desenvolvimentista entrara em colapso e o sempiterno sorriso de JK nada podia acrescentar para conjurar as adversidades. O ritmo de crescimento diminuíra, disparara a inflação e se intensificara o cortejo de desajustes próprios das fases de transformações aceleradas.

Como resultado, desgastaram-se as forças e os partidos que até então haviam comandado a nação. Criou-se na sociedade, lentamente, uma atmosfera geral a favor de mudanças, de reformas. Era preciso renovar a vida política do país.

Jânio, líder carismático por excelência, apesar de uma fala pedante, às vezes incompreensível, soube encarnar esses anseios pelo *novo*, tão próprios das tradições brasileiras. Com sua vassoura, símbolo da campanha eleitoral, saberia *varrer* as dificuldades e os problemas. Histriônico, divertia as multidões e fazia do andar torto, do terno amarrotado, das cultivadas caspas, do sanduíche de mortadela que desembrulhava, sentado num meio-fio, na hora do almoço, marcas de sinceridade e de autenticidade do seu caráter popular, só dele, filho do povo, não comprometido com as elites tradicionais e corrompidas.

Elegeu-se com 5,6 milhões de votos, que seus adeptos transformaram em "quase 6 milhões". Em termos absolutos, a maior votação da história da República. Em termos relativos, cerca de 45% dos votantes, resultado inferior ao apresentado por Getúlio Vargas em 1950.* A vitória foi divulgada como o triunfo do *novo*. Contudo, como na época os eleitores podiam

---

* Dutra, em 1945, tivera 52% dos votos. Em 1950, Getúlio ganhara 47%. JK, em 1955, recebeu, porém, proporção bem mais modesta, apenas 34% dos votos.

votar em candidatos de distintas chapas para presidente e vice-presidente, João Goulart, o Jango, herdeiro político notório de Getúlio Vargas, candidato a vice na chapa de Lott, acabou tendo mais votos do que o vice de Jânio, Milton Campos, da União Democrática Nacional (UDN). Assim, Jânio e Jango tomaram posse juntos, embora portadores de diferentes projetos. Para os janistas, era como se tivessem expulsado o *velho* pela porta da frente e o vissem voltar pela janela, ou pela porta dos fundos. Apenas um contratempo? O fato é que Jânio assumiu o governo, em fins de janeiro de 1961, com força considerável, alimentando as expectativas de um *novo começo*.

Mas seu governo cedo pareceu um daqueles bólidos que não conseguem arrancar. A política econômica, na linha da ortodoxia monetarista, desagradava ao setor industrial, acostumado ao crédito fácil, sem segurar a inflação. A Política Externa Independente (PEI) irritava os conservadores sem angariar os apoios das esquerdas, desconfiadas, inclusive porque Jânio não hesitava em mandar reprimir os movimentos sociais que se esboçavam. Quanto aos trabalhadores, recebiam promessas de austeridade... Enquanto isso, as reformas vagamente anunciadas, e tão desejadas, não se concretizavam, nem mesmo na forma de projetos consistentes.

O presidente, desprezando os partidos políticos, apostava apenas no diálogo direto com a sociedade, exercitando seu inegável carisma. Reclamava de restrições e alegava carecer de plenos poderes, embora não estivesse evidente para ninguém, e provavelmente sequer para ele mesmo, o que faria com eles. Comunicava-se com os ministros e auxiliares através dos chamados "bilhetinhos", mensagens telegráficas em que seu autoritarismo se desvelava de corpo inteiro. Em determinado momento, empenhou-se em proibir biquínis nas praias e brigas de galo, e, ao condecorar Che Guevara, chocou os ministros militares, notórios conservadores nomeados por ele mesmo.

Atacado por diversos lados, cada vez mais isolado, Jânio renunciou em 25 de agosto de 1961, surpreendendo amigos e inimigos. A interpretação racional é a de que esperava ser chamado pelas multidões, retomando o governo com "plenos poderes", um procedimento adotado em outras oportunidades de sua vida política, sempre com sucesso. Dessa vez, não funcionou. Seus cálculos, se cálculo houve, falharam. O projeto de golpe, se de fato existiu, foi mal organizado e pior ainda executado.

Aceita a renúncia pelo Congresso Nacional, como um gesto unilateral que não cabe discutir, a nação ficou sem presidente, já que o vice, João Goulart, estava longe, em visita oficial à China popular. Acionada a linha de sucessão, assumiu, provisoriamente, o presidente da Câmara dos Deputados, Ranieri Mazzilli, político da ala mais conservadora do PSD.

Foi então que os ministros do Exército, da Marinha e da Aeronáutica, recobrados da surpresa, e investindo-se na condição de *anjos tutelares* da sociedade e do Estado, tradição bem-estabelecida desde a proclamação da República, em 1889, resolveram intervir, impedindo que Jango assumisse o governo sob a alegação de que ele representava uma ameaça à estabilidade do país e uma promessa certa de caos.

Uma clara violação da lei. Desencadeava-se, agora, sim, um golpe de Estado.

No entanto, ao contrário do que imaginavam os chefes militares, organizou-se um movimento de resistência à quebra da legalidade constitucional liderado pelo governador do Rio

Grande do Sul, Leonel Brizola, logo apoiado pelo general Machado Lopes, comandante do III Exército, o mais poderoso do país, sediado no Rio Grande do Sul. Formou-se uma rede de rádios – a *cadeia da legalidade* – que passou a incentivar, em todo o país, a mobilização civil e a desagregação do dispositivo militar golpista.

A nação parecia deslizar para uma guerra civil. Mas não foi o que aconteceu. Em vez do fragor das armas, prevaleceram intensas negociações – a guerra da saliva – que levaram a um acordo, mediante o qual ambos os lados recuaram, na boa tradição de Itararé.* Afinal, Jango assumiu o governo em 7 de setembro de 1961, mas com os poderes presidenciais castrados em um parlamentarismo híbrido, uma estranha fórmula em que se associavam um presidente enfraquecido e um Parlamento fraco. Quanto aos golpistas, preservaram suas posições, não sendo punidos.

Alguns aspectos dessa crise merecem ser destacados para a compreensão dos acontecimentos que se seguirão.

Primo, a improvisação do veto à posse de Jango, devido à surpresa dos ministros militares e à indecisão e às divisões das elites dominantes, constituiu um fator fundamental para o fracasso da tentativa de golpe. *Secundo*, o protagonismo dos movimentos populares, que se articularam em defesa da posse de João Goulart. Na sequência, eles não se deixariam afastar

* Nos anais da história militar brasileira, Itararé destacou-se, em 1930, como a maior batalha do continente latino-americano... que não houve! Os contendores, partidários e adversários da marcha que levaria Getúlio Vargas ao poder, depois de se prepararem para um choque decisivo na cidade de Itararé, entre São Paulo e Paraná, retiraram-se para posições defensivas sem disparar um tiro e negociando o desfecho de forma pacífica.

tão facilmente do palco. *Tertio*, o conjunto da resistência ao golpe sustentou-se na base da defesa da democracia, da lei e da ordem constitucional. Em outras palavras, a luta travara-se em *defesa da ordem legal*.

Com a posse de Jango, reatualizava-se o legado de Vargas. Nas condições internacionais favoráveis, entre as quais figuravam a vitória da Revolução Cubana e os avanços do nacionalismo revolucionário em todo o mundo (Argélia, Vietnã, mundo árabe, socialismo chinês etc.), Jango poderia, apoiado num partido de massas em crescimento, o PTB, e numa frente popular que se esboçara na resistência ao golpe, dispor de condições para retomar o nacional-estatismo popular já entrevisto no último governo Vargas. Se o desenvolvimentismo de JK abalara alguns de seus fundamentos, não o superara. Quanto a Jânio Quadros, não teve sequer tempo, condições ou vontade para elaborar alguma alternativa. Assim, em um contexto de intensos debates e lutas políticas, marcado pelas ações dos movimentos sociais e pela sombra, cada vez mais pesada, da Guerra Fria, ressurgia uma possibilidade que muitos imaginavam ultrapassada.

Já a partir de 1962, as manifestações e as greves, num crescendo, alcançaram trabalhadores urbanos e rurais, assalariados e posseiros, estudantes e graduados das Forças Armadas, configurando uma redefinição do projeto nacional-estatista que passaria a incorporar uma vasta – e inédita – participação popular. Talvez exatamente por causa disso, mudaram o tom e o sentido do discurso. Ao contrário de uma certa tradição conciliatória, típica do estilo de Getúlio Vargas, mesmo às vésperas do suicídio, e que era, em larga medida, compartilhada por Jango, as propostas agora radicalizavam-se: os obstáculos deveriam ser removidos, e não evitados, os alvos, abatidos, e não contornados.

O processo não foi linear; nem todos os setores interessados avançaram de modo coordenado ou unificado. Havia uma grande cacofonia, na qual se explicitavam variadas propostas. Mas o sentido geral apontava para uma radicalização crescente.

Foi assim que tomou corpo o programa das *reformas de base*.

A *reforma agrária*, para distribuir a terra, com o objetivo de criar uma numerosa classe de pequenos proprietários no campo, rompendo com o monopólio da terra e atingindo as bases de sustentação do latifúndio, ao mesmo tempo que ampliaria o mercado interno, viabilizando o desenvolvimento industrial autocentrado. A *reforma urbana*, para planejar o crescimento das cidades, combatendo-se a especulação imobiliária e protegendo-se os inquilinos. A *reforma bancária*, com a finalidade de criar um sistema controlado pelo Estado e voltado para o financiamento das atividades que pudessem garantir a autonomia nacional. A *reforma eleitoral*, incorporando o voto dos soldados e dos graduados das Forças Armadas e, principalmente, o dos analfabetos, que constituíam quase metade da população adulta do país. A *reforma do estatuto do capital estrangeiro*, para disciplinar os investimentos estrangeiros, limitando-se a remessa de lucros para o exterior e prevendo-se a estatização dos setores considerados estratégicos (indústrias de base e transportes públicos). A *reforma universitária*, para que o ensino e a pesquisa, devidamente democratizados, e sob o controle de professores e estudantes, se voltassem para o atendimento das necessidades sociais e nacionais.

Instaurou-se um grande debate na sociedade. Nas cidades e nos campos, nas greves urbanas e nas ocupações de terras, agitavam-se os movimentos sociais, reivindicando, exigindo, radicalizando.

O *reformismo*, entretanto, não contava com unanimidade. Além de ser heterogêneo, segmentado em alas diferentes – mais ou menos radicais –, passou a enfrentar, em sentido contrário, resistências expressivas. As eleições de 1962, cerca de um ano após a posse de Jango, que renovaram a Câmara Federal, parte do Senado e um conjunto importante de governos estaduais, evidenciaram a força das direitas e da opinião conservadora.

No Congresso Nacional, embora a ala nacionalista radical do PTB e os demais partidos *reformistas* tivessem registrado avanços, o PSD, tradicional aliado de Jango, e a UDN nucleavam a maioria conservadora com o apoio de outros pequenos partidos e de uma ala moderada que existia no interior do próprio PTB.

Nas eleições para os governos estaduais, se as esquerdas tinham conseguido êxito em Pernambuco e no Rio de Janeiro, com as vitórias de Miguel Arraes e Badger da Silveira, respectivamente, as direitas haviam eleito Ildo Meneghetti, no Rio Grande do Sul, e Adhemar de Barros, em São Paulo. Registre-se que as forças conservadoras já contavam com os governos de Minas Gerais (Magalhães Pinto) e da então Guanabara (Carlos Lacerda). A tradução política das eleições, no que dizia respeito às reformas, poderia ser assim resumida: elas não seriam aprovadas legalmente pelas instituições representativas nem apoiadas pelos governadores dos mais importantes estados.

Restara a expectativa de viabilizar as reformas através do restabelecimento dos plenos poderes presidenciais de Jango. Porém, havia ali um obstáculo: quando da aprovação do parlamentarismo, previra-se uma consulta plebiscitária sobre o assunto, mas só em 1965, justamente quando se encerraria o mandato de João Goulart. Para as forças reformistas, tratava-se, portanto, de antecipá-la, o que seria obtido por intensas pressões sociais e movimentos de greve, dos quais resultaram a definição do plebiscito para janeiro de 1963.

Nessa altura, o regime parlamentarista, que nascera fraco, estava profundamente desgastado. Em pouco mais de um ano, sucederam-se três primeiros-ministros (Tancredo Neves, Brochado da Rocha e Hermes Lima), sem contar outros dois (Auro de Moura Andrade e Santiago Dantas), recusados – por Jango ou pelo Congresso – em meio a crises políticas e a greves de caráter geral. O parlamentarismo perdera qualquer tipo de credibilidade.

A vitória de Jango foi, assim, consagradora. O eleitorado preferiu a volta do presidencialismo por cerca de 9,5 milhões de votos, contra apenas 2 milhões favoráveis à manutenção do parlamentarismo. No entanto, apenas em parte se justificava a euforia dos governistas, uma vez que a campanha pelo "não" (ao parlamentarismo) contara também com o apoio – aberto ou velado – de líderes conservadores (Magalhães Pinto, Carlos Lacerda, Adhemar de Barros), que, mirando as eleições presidenciais de 1965, aspiravam à Presidência da República.

Recuperados os plenos poderes presidenciais, que eram consideráveis, as expectativas transferiam-se agora para Jango. Sua ideia-chave era o Plano Trienal – elaborado pelo economista Celso Furtado, que, tendo adquirido renome na administração da Superintendência do Desenvolvimento do Nordeste (Sudene), fora nomeado ministro do Planejamento ainda em fins de 1962. Furtado e sua equipe haviam redigido uma engenhosa combinação de estímulos e restrições para incentivar o desenvolvimento econômico e domar a inflação. Era uma espécie de versão econômica da política de conciliação da qual Jango, como bom herdeiro de Getúlio Vargas, se considerava mestre. Pretendia atender a todos os interesses, e, se tivesse êxito, todos ficariam satisfeitos. Mas, como diz o ditado popular, a teoria na prática é sempre outra. Aconteceu o inverso do que se almejava: o Plano não agradou a ninguém. De todos os lados, partiram críticas contundentes. As direitas não aceitavam medidas que consideravam "distributivistas" e "inflacionárias". As esquerdas reclamavam dos ônus que recairiam sobre os ombros dos trabalhadores, obrigados a suportar o peso do controle da inflação e das políticas de "austeridade" e de "saneamento". Para os de baixo, era pouco. Para os de cima, demais.

Assim, o Plano Trienal foi abandonado em três meses. Em consequência, em fins do primeiro semestre de 1963, o governo Jango estava atolado, sem projeto, pilotando a olho nu a crise do país.

Um impasse histórico.

A sociedade dividira-se.

De um lado, agitações de trabalhadores urbanos (sobretudo os ligados às atividades estatais) e rurais e de setores estudantis, além dos graduados das Forças Armadas. A luta pelas reformas havia lhes conferido força e influência. Percebiam, com razão, que a concretização delas consolidaria uma repartição de poder e de riqueza que lhes traria benefícios, materiais e simbólicos. Por isso mesmo, acionavam os mecanismos do pacto nacional-estatista, tensionando-os ao máximo, tentando aprofundar sua dinâmica popular. Entretanto, como as reformas não se concretizavam, acentuavam-se as pressões sobre Jango – era preciso que ele largasse de mão atitudes e políticas de conciliação e exercitasse as margens próprias do poder. Nessa atmosfera, alguns segmentos mais radicais passavam, crescentemente, a defender o recurso à força, sintetizando-o na agressiva palavra de ordem: *reforma agrária na lei ou na marra.*

De outro lado, um processo de condensação de várias correntes de oposição às reformas: das elites tradicionais – *reacionárias* – a grupos empresariais *modernizantes*. Aliavam-se também nessa ampla *frente social* boa parte das classes médias e até mesmo setores populares: pequenos proprietários, profissionais liberais, homens de *terno e gravata*, empregados de *colarinho branco*, oficiais das Forças Armadas, professores e estudantes, jornalistas, trabalhadores autônomos. Como entre os reformistas, os antirreformistas eram igualmente caracterizados pela heterogeneidade – dos mais radicais, reacionários no sentido mesmo da palavra, passando por gradações variadas, até segmentos que pareciam neutralizados, mais observadores do que participativos, como os trabalhadores de empresas estrangeiras, quase invisíveis nas ações grevistas.

Nesse conjunto disparatado, muitos haviam acumulado riquezas, privilégios e favores no processo de afirmação do nacional-estatismo. Não desejavam destruí-lo, mas não suportavam a irrupção de lideranças populares que se faziam cada vez mais atuantes. Todos sentiam obscuramente que um processo de redistribuição radical de riqueza e de poder, em cuja direção apontavam as reformas, atingiria suas posições, rebaixando-as. E nutriam um Grande Medo de que viria um tempo de desordem e de caos, marcado pela subversão dos princípios e dos valores vigentes, inclusive dos religiosos. A ideia de que a *civilização ocidental e cristã* estava ameaçada no Brasil pelo espectro do *comunismo ateu* assombrava as consciências, trabalhadas há décadas por meticulosa e persuasiva propaganda contra a ameaça *vermelha* financiada pelo *ouro de Moscou.*[1]

Nunca seria demais recordar a importância da conjuntura internacional da Guerra Fria, radicalizando-se. O destaque, no âmbito da América Latina, era o processo da Revolução Cubana, epicentro de vários acontecimentos de alcance mundial, entre 1960 e 1962, desembocando na crise dos foguetes, em outubro desse último ano, que levou o mundo à beira de um cataclismo nuclear. Complementavam o quadro, como já referido, a vitória da Revolução Argelina, também em 1962, a luta revolucionária no Vietnã e o avanço de vários movimentos de libertação nacional que se situavam na encruzilhada do nacionalismo e da construção de ditaduras revolucionárias socialistas ou socializantes.

O nacional-estatismo brasileiro levaria, também, como em Cuba, à *comunização* do Brasil? Não seria esse um resultado inevitável, considerando-se o protagonismo crescente das reivindicações sociais? Mobilizavam-se dinheiros, espadas e terços para esconjurar a hipótese.

E então ocorreu uma notável inversão de tendências.

As lideranças reformistas que haviam construído sua força na luta pela posse de Jango e, em seguida, pelo restabelecimento do presidencialismo – em outras palavras, na *defesa da ordem constituída e da legalidade* – tinham evoluído, ao menos em parte, para uma linha ofensiva, alguns já contemplando o recurso à violência revolucionária. Sucediam-se discursos exaltados, ameaças veladas, uma retórica grandiloquente, sem correspondência com a força e a organização reais dos reformistas. Com efeito, tudo, ou quase tudo, na cultura política nacional-estatista dependia da tolerância, ou do apoio, ou do estímulo, do Estado. Sem considerar essa condição, as imaginações ardiam. Até mesmo os experientes e moderados dirigentes do Partido Comunista Brasileiro (PCB), formalmente ilegal, mas, de fato, atuando às claras, deixavam se contaminar. Começou a haver ali um desejo de ir às vias de fato, de procurar um *desfecho,* como dizia Leonel Brizola, apoiado nesse particular por grupos e organizações radicais.

E, assim, quem estava em linhas de defesa passou à ofensiva, imaginando ter chegado a sua hora.

Enquanto isso, do outro lado, as forças conservadoras e os antirreformistas de variados matizes, inclusive os golpistas de todos os golpes, desde que se fundara aquela República, em 1945, encontravam-se agora, ao menos formalmente, defendendo a legalidade vigente e a Constituição. Invocavam a razão e a religião, condenavam excessos e radicalismos. Entretanto, armavam os botes, porque, além de numerosos, eram diversos, heterogêneos.

E, assim, quem sempre atacara passara agora à defensiva, esperando a sua hora.

Viria, afinal, essa hora, a do enfrentamento? O que estava faltando para que a heterogeneidade de campos, ainda difusos, se condensasse numa vontade única, fazendo desaparecer as nuances, tornando-se inevitável o embate?

A hora chegou, para todos, em março de 1964.

Depois de longos meses de hesitação, armadilhado no impasse de uma correlação de forças equilibrada, Jango resolveu aceitar os conselhos de partir para a ofensiva. Após ratificar a legislação sobre a regulamentação da remessa de lucros, já aprovada no Congresso, e de estabelecer o monopólio da importação do petróleo, duas reivindicações havia muito preconizadas pelas forças nacionalistas, dispôs-se a liderar um conjunto de grandes comícios para aumentar a pressão pelas reformas. O primeiro seria no Rio de Janeiro, o último, em 1º de maio, em São Paulo. Planejou-se, igualmente, no limite das largas atribuições do presidente da República, a instituição de outros decretos que implementariam, na prática, aspectos do programa das reformas de base.

O primeiro comício – foi só um – realizou-se em 13 de março de 1964, no Rio de Janeiro, no Centro, junto ao Ministério da Guerra e da Central do Brasil. Reuniram-se todas as esquerdas, cerca de 350 mil pessoas, segundo estimativas dos organizadores, na defesa das reformas e no estímulo para que Jango, assumindo suas prerrogativas, fizesse avançar o processo. Como se respondesse positivamente, o presidente anunciou a assinatura de alguns decretos: o da expropriação de pequenas refinarias particulares e o que previa a hipótese de desapropriação de terras ao longo de eixos rodoferroviários em benefício da reforma agrária. Os novos atos legais, mais simbólicos do que efetivos, indicavam, porém, uma direção, a da realização das reformas e da radicalização do quadro político. O evento foi considerado um sucesso, embora, mais tarde, um dirigente sindical comunista, Hércules Correa, o tenha denominado, com ironia amarga, como o comício "das lavadeiras", porque dele haviam feito parte somente "trouxas e tanques". O primeiro termo fazia referência a quase todos os que lá estavam, por acreditarem numa vitória próxima – e fácil. O segundo referia-se aos tanques blindados e aos fortes contingentes da polícia do Exército, que, por orientação de um assustado Jango, o protegeram de supostas ameaças de um atentado contra a sua vida.

A resposta não se fez esperar. No dia 19 do mesmo mês de março, em São Paulo, desenrolou-se uma primeira Marcha da Família com Deus pela Liberdade: as direitas unidas, alarmadas, aparentando decisão, também foram às ruas, cerca de 500 mil pessoas, segundo os organizadores. Outras marchas se seguiram em várias cidades, como Santos (SP), em processo até hoje muito mal estudado.[2]

Registre-se, em ambos os eventos, a participação ativa e decisiva do Estado. No Rio de Janeiro, além da proteção do Exército, os trens da rede ferroviária federal circularam gratuitamente naquele dia. Em sentido contrário, o governo estadual de Carlos Lacerda, na perspectiva de esvaziar o comício, decretou feriado nas repartições públicas. Em São Paulo, o governador, Adhemar de Barros, colocaria também todo o peso da máquina pública estadual a favor da Marcha da Família. Realizando manifestações com sinais contrários, situadas em campos opostos, era como se esquerdas e direitas prestassem uma espécie de tributo ao caráter indispensável do Estado.

Face a face, reforma e contrarreforma.

Onde aquilo tudo iria parar?

Jango foi parar numa pescaria, com a família, em uma de suas fazendas no Rio Grande do Sul, aproveitando o feriadão da Semana Santa. No ato político realizado no Rio de Janeiro, fugira das tradições de sua trajetória política, fundadas no diálogo, na conciliação, na arbitragem e no compromisso. Aquilo lhe fizera mal e ele carecia de um descanso. Tudo muito simbólico, inclusive porque a atitude foi, em maior ou menor medida, compartilhada pelas demais forças de esquerda. Na tradição nacional-estatista, a iniciativa decisiva sempre viria do alto, do

Estado, embora só podendo ganhar consistência com o apoio e a mobilização consciente dos movimentos sociais. Assim, às grandes *palabras* do comício de 13 de março, seguiu-se uma espécie de letargia, à espera do próximo passo, do comício seguinte. Em vez de febris preparativos para um enfrentamento histórico, previsível, uma excursão familiar aos peixes...

Mas o barril de pólvora e a mecha estavam lá, à espera de um fósforo aceso.

Quem o acendeu foi uma reunião da Associação dos Marinheiros e Fuzileiros Navais do Brasil (AMFNB), comprometida com reivindicações que diziam respeito à melhoria das condições de vida e de trabalho dos marinheiros e dos graduados. Proibido pelo Ministério da Marinha, apesar das recomendações de Jango, mantido pela direção da entidade, o encontro ocorreu, afinal, na sede do Sindicato dos Metalúrgicos do Rio de Janeiro. O ministro, inconformado com o ato, considerado de indisciplina – quando não passava de um exercício simples de cidadania –, determinou o envio de uma tropa de fuzileiros navais para fechar a assembleia e prender os manifestantes. A tropa, contudo, incentivada pelos marujos, largou as armas e entrou no sindicato. Na hora, e também mais tarde, o cenário suscitou em alguns a lembrança da revolta do *Encouraçado Potemkin*.* Mais valeria associá-la à Revolta da Chibata, realizada em 1910, quando os marinheiros tomaram de assalto os navios de guerra sediados na baía de

* Episódio da Revolução Russa de 1905 que inspirou o clássico *O encouraçado Potemkin* (1925), do cineasta russo Sergei Eisenstein. O *Potemkin* era a nave de comando da esquadra russa sediada em Odessa, no mar Negro. Seus marinheiros acompanharam a insurreição ocorrida na cidade. Após a derrota, a tripulação levou o navio para o exílio.

Guanabara, exigindo, com êxito, o fim dos castigos físicos na Marinha de Guerra brasileira. As duas associações com episódios do passado, contudo, pecavam por um detalhe mais do que substancial – decisivo. Como bem observou na época João Cândido, o *Almirante Negro*, líder da Revolta da Chibata e convidado de honra no ato que se realizava no Sindicato dos Metalúrgicos, lugar de marinheiro revoltado era nos navios de guerra e não nos sindicatos… As sábias palavras, porém, não seriam escutadas, dançaram no ar e foram levadas pelo vento.

A partir de então, as coisas começaram a correr muito rapidamente.

A crise na Marinha mudou o foco do processo político. Não foi algo que aconteceu de modo espontâneo. Para que a mudança se verificasse, trabalharam com afinco as forças conservadoras, e aí o papel da mídia foi essencial. O enfrentamento entre as propostas de reforma e contrarreforma foi substituído por uma luta entre os que defendiam a hierarquia e a disciplina nas Forças Armadas e os que desejavam subverter esses valores. Se a interpretação pegasse, e ela pegou, seria, como foi, um desastre para Jango e para as forças de esquerda, cujo dispositivo militar começou a ruir.

Em seu último discurso como presidente, no Automóvel Clube, no Centro do Rio, em assembleia radicalizada por subalternos das Forças Armadas, Jango alternou de forma incongruente ameaças veladas e propósitos de conciliação. Ao invés de segurar, ajudou a empurrar de vez o carro ladeira abaixo. Ainda hesitavam, no entanto, os diferentes dispositivos golpistas sobre o melhor momento para tentar abater o presidente, quando o general Olympio Mourão Filho, considerado estouvado e não confiável, mas determinado, ordenou, na noite alta de 30 de março de 1964, a partida de seus soldados, sediados em Juiz de Fora (MG), em direção ao Rio de Janeiro.

Eram tropas pequenas, mal-equipadas e escassamente municiadas, mas criaram um polo de condensação em torno do qual seria necessário optar. Contra ou a favor? Enquanto no campo reformista, com exceção de poucas tentativas isoladas e sem coordenação, a maioria, vacilante, olhava para o alto, para o presidente da República, à espera de ordens, os chefes do campo da contrarreforma não pareciam tolhidos por limitações de espécie alguma, confortando-se e tornando-se coesos em torno das ideias de que estavam "salvando a democracia brasileira do comunismo e da corrupção".

Um estudioso do episódio observou com acerto que o Exército "dormiu janguista... e acordou "revolucionário".[3] De fato, no contexto de uma intensa "guerra da saliva", o equilíbrio de forças começou a pender a favor do golpe, através de uma impressionante sucessão de "batalhas de Itararé".

Jango saiu fugindo do cenário aos soluços: do Rio de Janeiro para Brasília e de lá para Porto Alegre, deixando atrás de si um rastro de desorientação e desagregação. Em Porto Alegre, ainda houve uma última reunião. Brizola queria resistir. Havia notícias de movimentos de resistência em outros lugares do país. O general Ladário Pereira Telles, investido no comando do III Exército, prontificava-se a lutar, advertindo, contudo, que não havia chances de vitória. Suas informações não eram muito estimulantes, induziam à capitulação. Ele se dizia, porém, um soldado, à espera de ordens. Mas Jango não queria dar ordens, estava apavorado diante do incêndio que ajudara a provocar, horrorizado com a hipótese de uma guerra civil que não desejava.

Decidiu nada decidir e saiu da história pela fronteira com o Uruguai, asilando-se em Montevidéu. Outras lideranças de esquerda tiveram a mesma atitude. Pareciam mais dispostas a se deixar prender – ou, no limite, a morrer, pelas reformas – do que lutar por elas com os meios de bordo. Ao contrário do que dizem os "profetas do passado", que logo acorreram, como de hábito, para considerar a derrota do reformismo em 1964 "inevitável", essa "inevitabilidade" ainda está por ser demonstrada. Pesquisas de época, realizadas pelo Instituto Brasileiro de Opinião Pública e Estatística (Ibope), evidenciavam uma popularidade relativamente alta de Jango. Por outro lado, eram consideráveis as forças de que dispunham as esquerdas, nas instituições, nos sindicatos, nos movimentos populares e nas próprias Forças Armadas. É certo que, entre elas, havia desconfianças – e fundadas. Desconfiavam de Jango, e Jango desconfiava de quase todos. Mas o fenômeno também existia entre as direitas. A derrota não estava escrita em nenhum livro sagrado, nem definida desde sempre por alguma *lei de bronze* da história. As esquerdas tinham meios para se defender, entretanto eles não foram acionados. Acionados, os reformistas poderiam até ser derrotados, mas a hipótese de uma luta derrotada não pôde ser verificada, porque a rendição assegurou uma derrota sem luta. A irresolução das forças e das lideranças reformistas oferece um contraste notável com a determinação de certos núcleos golpistas. Estudá-las melhor é até os dias de hoje um desafio para que se tenha uma explicação mais convincente e para que seja mais bem compreendida essa "estranha derrota".[4]

As direitas saudaram nas ruas a vitória imprevista. Uma grandiosa Marcha da Família com Deus pela Liberdade, com centenas de milhares de pessoas, no Rio de Janeiro, em 2 de abril de 1964, comemorou o sucesso do golpe e festejou a derrocada de Jango e das forças favoráveis às reformas e ao projeto nacional-estatista popular.

Sem ainda saber exatamente o que iria acontecer, o país ingressara numa longa ditadura.

3. Ditadura ou democracia: a busca de uma identidade (1964-1968)

A AMPLA ALIANÇA SOCIAL entre civis e militares que permitiu a vitória do golpe de Estado em 1964 era heterogênea – e contraditória. Embora apoiada pelo governo dos Estados Unidos, fato já desvelado por pesquisas, tinha substância e dinâmica próprias e relativa autonomia.[1] É um equívoco superestimar o papel externo na decisão do confronto ocorrido no país, argumentando-se, como muitos, que o golpe teve início em Washington ou que se tornou vitorioso graças à decisiva intervenção de uma pequena esquadra que nem chegou ao litoral brasileiro.[2]

Havia ali um cimento forte: o medo de que um processo radical de distribuição de renda e de poder pudesse sair do controle e levar o país à desordem e ao caos, ameaçando instituições e valores. O nacionalismo e o reformismo radicais assustavam, em virtude do exemplo da Revolução Cubana, cujo caráter nacional-democrático cedo se transmudara, desde 1961, numa proclamada revolução socialista. Outros movimentos de libertação nacional em curso aproximavam nacionalismo e socialismo, como na China, no mundo árabe (Argélia, Síria e Iraque), no Vietnã, e mesmo entre os pequenos grupos revolucionários que despontavam então nas ex-colônias portuguesas. Conferir até que ponto esse medo não teria contaminado lideranças reformistas pode oferecer uma chave para compreender melhor a paralisia e a irresolução frente ao golpe.

Da salvação democrática à instauração da ditadura

É inegável que o golpe militar e civil foi empreendido sob bandeiras *defensivas*. Não para construir um novo regime. O que a maioria desejava era *salvar a democracia*, a família, o direito, a lei, a Constituição, enfim, os fundamentos do que se considerava uma *civilização ocidental e cristã*. Do ponto de vista das Forças Armadas, tratava-se de garantir a hierarquia e a disciplina, ameaçadas pelos protestos crescentes de graduados e de marinheiros. Finalmente, outra referência acionada com boa aceitação, em especial entre as classes médias, era o combate à corrupção, pervasiva, segundo os conservadores, desde os últimos anos JK. Não esquecer que, em larga medida, o restabelecimento do rigor no trato do dinheiro público fora uma das bases da vitória de Jânio Quadros e do janismo nas eleições de 1960.

Agora, obtida a vitória sobre a *subversão comunista e a corrupção*, colocava-se a prosaica questão: o que fazer?

Foi difícil encontrar uma resposta comum.

Havia os que desejavam apenas remover Jango e seus aliados mais radicais, como os comunistas. Depois, legitimar o golpe por um expediente jurídico qualquer, devidamente aprovado pelo Parlamento. Então, as Forças Armadas voltariam aos quartéis, retomando-se a vida institucional nos padrões anteriores. Faziam parte dessa espécie de corrente política – *liberal-conservadora* – lideranças, como Carlos Lacerda e Magalhães Pinto, a chamada *banda de música* da UDN, formada por grandes *tenores* com voz nas tribunas do Congresso Nacional (entre tantos outros, Pedro Aleixo, Bilac Pinto, Adauto Lucio Cardoso, Aliomar Baleeiro), que haviam infernizado a vida de

JK e de Jango, e a mídia impressa de maior influência, como *O Estado de S. Paulo*, *Jornal do Brasil* e *Correio da Manhã*. Nessa tendência, apareciam igualmente outros setores, com identidade própria, que poderiam ser denominados *conservadores-arcaicos*, nostálgicos de um Brasil rural idealizado, de *vocação agrária*. Apegados a valores morais de uma outra época, não raro partidários de um clericalismo ultramontano, posavam de defensores da família e da Igreja católica.

Na linha de um golpe rápido também estavam políticos e militares que "dormiram legalistas... e acordaram golpistas".[3] Desejavam circunscrever o protagonismo militar em uma intervenção *cirúrgica*, mas não eram necessariamente alérgicos ao intervencionismo estatal, ao contrário, sempre haviam emprestado sua autoridade e seu apoio a um Estado *forte* e presente na vida nacional.

Os partidários do nacional-estatismo e da adequação do corporativismo estatal extrapolavam, no entanto, esses "aderentes de última hora", incluindo outras forças incrustadas no Estado e que a ele deviam prestígio e poder. Militares e civis aí se encontravam, preconizando uma repressão dura contra comunistas e trabalhistas, a quem chamavam pejorativamente de *populistas*.

A questão da *medida de repressão* a ser empregada não era menor e dividia opiniões. Algumas das lideranças civis do golpe (Magalhães Pinto, Carlos Lacerda e Adhemar de Barros) queriam uma *limpeza* em regra, para reduzir drasticamente as chances de que políticos e partidos vencidos – seus potenciais concorrentes – disputassem as eleições previstas para 1965 e 1966.

Limpeza mais funda ainda era exigida por numeroso grupo de chefes militares, que assumiriam rapidamente a condução de diversos Inquéritos Policial-Militares (IPMs). Estes também não queriam ouvir falar de *intervenções cirúrgicas* e defendiam a permanência no poder, por tempo indeterminado, dos vitoriosos, até que fosse possível erradicar o *comunismo* e o *varguismo* – aquele gato de sete vidas que superara a deposição de 1945, o suicídio de 1954, as tentativas golpistas de 1955 e de 1961 e haveria agora de ser enterrado. Definitivamente. E para isso era necessário tempo. Consideravam válido o recurso aos maus-tratos e à tortura e já começaram a praticá-los no próprio episódio do golpe e nas semanas subsequentes. De contornos indefinidos e com distintas orientações, os integrantes dessa nebulosa, pela truculência de seus procedimentos, passariam a ser conhecidos pela mídia liberal e conservadora como *linha dura*.[4]

Outros setores eram também favoráveis à permanência no poder sem prazos, mas se distinguiam dos anteriores por um projeto alternativo global à situação existente. Para estes, tratava-se de destruir, em seus fundamentos, a ordem e as tradições nacional-estatistas, consideradas anacrônicas. Em seu lugar, seria construída uma alternativa *liberal-internacionalista, modernizante*, baseada num Estado diminuído, apenas regulador, na revogação das estruturas corporativistas fundadas no Estado Novo, na abertura econômica para o mercado internacional, no incentivo aos capitais privados, inclusive estrangeiros, numa sólida aliança com os Estados Unidos no quadro da Guerra Fria. Tais perspectivas foram elaboradas, ao longo do tempo, no âmbito da Escola Superior de Guerra (ESG) e, mais tarde, já depois de 1961, pelo Instituto de Pesquisa e Estudos Sociais (Ipês), organização que reunia lideranças civis e militares e que desempenhara um importante papel na vitória do golpe, destacando-se, então, como o grupo mais articulado em termos políticos.[5]

Na desordem que se seguiu à derrocada de Jango, houve uma espécie de disputa surda entre lideranças e dispositivos alternativos que fizeram parte dessa complexa e heterogênea frente social e política. Como acontece nessas horas, a ousadia e a determinação recompensaram os mais decididos. Foi o caso, entre muitos outros, do general Arthur da Costa e Silva, que, ocupando o Ministério da Guerra, no Rio de Janeiro, autoproclamou-se ministro, alegando ser, na área, o mais antigo chefe militar na ativa.

Rapidamente, constituiu-se uma Junta, reunindo os chefes militares das três armas. Assessorados por juristas de direita, elaboraram, em 9 de abril, um decreto ditatorial a que deram o nome de Ato Institucional. No mesmo movimento, autodenominaram-se Comando Supremo da Revolução.

O documento estabelecia uma decantação imprevista. O golpe pela salvação da democracia transformava-se em *revolução*, cujos poderes, exercidos em nome dela e do povo, que a apoiara, estavam nas mãos dos chefes militares que assinavam o Ato e que detinham a força efetiva. Ficava explícito que era a *revolução* que legitimava os demais poderes existentes, assim como a própria Constituição vigente, e não o contrário. O termo foi usado porque era prestigioso, legitimando, à esquerda e à direita, ambições e programas políticos. Por outro lado, como se viu, havia entre setores golpistas a perspectiva de alterar radicalmente alguns fundamentos das tradições nacional-estatistas, personificados pela figura de Getúlio Vargas, que eles detestavam. Na realização dessa tarefa, imaginavam-se empreendendo mudanças decisivas, ou seja, uma *revolução*.

As medidas decorrentes da aplicação do Ato não estariam sujeitas ao escrutínio de qualquer tipo de tribunal. A Junta ampliou e concentrou poderes nas mãos do presidente da República, a ser eleito em 48 horas, pelo Congresso Nacional por maioria simples, atribuindo-se a prerrogativa de cassar mandatos legislativos federais, estaduais e municipais e suspender os direitos políticos dos atingidos por dez anos. Outra medida de força foi a revogação, por seis meses, das garantias constitucionais da vitaliciedade e da estabilidade. Uma vez eleito o novo presidente, até 31 de janeiro de 1966, a prerrogativa de efetuar cassações seria transferida para ele. A data-limite funcionou como uma espécie de compromisso com a restauração da democracia. A ditadura autolimitava-se, definindo um prazo de validade para si mesma. As eleições previstas para outubro de 1965 (presidente, governadores, prefeitos e vereadores) e outubro de 1966 (governadores, Congresso Nacional e assembleias legislativas) ficaram mantidas, assim como o conjunto da Constituição, ressalvadas as mutilações operadas pelo Ato Institucional.

Publicado o Ato Institucional, a Junta procedeu imediatamente às primeiras cassações, atingindo dezenas de pessoas, nas quais se incluíam as principais lideranças derrotadas. Encabeçando a lista, simbolicamente, vinha o líder comunista Luiz Carlos Prestes; em seguida, João Goulart, Miguel Arraes e Leonel Brizola, entre outros. Quarenta deputados federais perderam o mandato e dezenas de oficiais das Forças Armadas passaram para a reserva.[6]

O problema é que o golpe fora consumado em nome dos valores da democracia e da *civilização ocidental e cristã*. Assim, era necessário, para além da truculência, conferir legitimidade ao poder, definindo alguém que pudesse ser uma espécie de síntese de todas aquelas forças díspares que haviam apoiado o golpe: liberais conservadores, conservadores arcaicos, liberais-internacionalistas, corporativistas-estatais, anticomunistas radicais. A ditadura, desde o início, e até o fim, teria que se haver com esse desafio porque, desde o início, e até o fim, ela nunca foi *una*, mas *vária*.

Naqueles dias de abril, após o sucesso inesperado, como em outros momentos no futuro, era preciso efetuar sínteses, encontrar alguém que fosse sintonizado ao mesmo tempo com a ditadura que se instaurava e com a democracia, em nome da qual aquela passara a existir. Em termos práticos, um nome que pudesse ser um delegado dos chefes militares, mas eleito pelo Congresso Nacional, representativo, em alguma medida, do complexo espectro político nacional.

Foi nessas circunstâncias que se firmou o nome do general Castello Branco. Fora chefe do Estado-Maior do Exército, nomeado por Jango, porém notabilizara-se pela firmeza com que combatera a radicalização do reformismo nacional-estatista, consolidando prestígio entre os pares. Ex-oficial da Força Expedicionária Brasileira (FEB) na Itália, colega apreciado e amigo de militares estadunidenses, ninguém tinha dúvidas sobre seu decidido anticomunismo. Por outro lado, considerado um militar culto e *civilista* na tradição dos militares-políticos, tão típica da República brasileira, dispunha de trânsito e conexões com o Ipês e entre políticos e empresários de diferentes orientações.

A entronização do homem requereu perícia e certa flexibilidade. Havia outros candidatos se lançando ou sendo lançados, como os generais Eurico Gaspar Dutra e Amaury Kruel. Afinal, depois de complicadas negociações, Castello Branco foi eleito em 11 de abril de 1964 por um Congresso já depurado por dezenas de cassações que atingiram os parlamentares que mais haviam se destacado nas lutas pelas reformas. Teve 361 votos contra apenas três (foram 72 abstenções), um índice de como o golpe foi apoiado pela grande maioria das elites políticas. A seu lado, como vice-presidente, elegeu-se José Maria Alkmin, velha raposa do PSD, amigo e correligionário de Juscelino Kubitschek, que participara da trama pensando estar assegurando o próprio futuro político e o das próximas eleições.

Assim, desde a gênese, o processo foi marcado por um certo hibridismo, um imbróglio maior que durou até o fim de seus dias. De um lado, em função da proposta de destruir pela raiz o varguismo e o comunismo, o Ato Institucional, o estado de exceção, a *revolução*, a ditadura. De outro, em virtude da necessidade de considerar o conjunto de forças que haviam se reunido para aquele desfecho, o respeito pela democracia, por seus valores, formas e ritos, e as autolimitações, os prazos de validade.[7]

Castello Branco pareceu, naquele momento, sintetizar essa heterogeneidade, dificilmente compatível. Por isso foi eleito pelo Congresso. Mas não eram muitos os que sabiam com clareza quais eram seus planos para o país.

As vicissitudes do internacional-liberalismo

Entre os homens políticos e na sociedade em geral, é comum a percepção de que tudo é possível a partir do poder, sobretudo um poder ditatorial. Na história, muitos líderes, de distinta orientação, aprenderam à própria custa que não é bem assim.

Se houvesse necessidade, a trajetória do governo Castello Branco seria uma boa ilustração sobre os limites de um poder aparentemente incontrastável.

O novo governo tinha um perfil e um programa.

O seu *internacionalismo* pretendia romper com as ambições autonomistas do *nacional-estatismo*, propondo um alinhamento estratégico com os Estados Unidos. Tratava-se de integrar o Brasil no chamado mundo ocidental, reconhecendo a liderança desempenhada por Tio Sam. Ao mesmo tempo, o seu *liberalismo* queria promover uma redução drástica do Estado e uma abertura radical aos fluxos do capital internacional, revogando as limitações políticas e econômicas formuladas pelo governo deposto.

As novas orientações traduziram-se na adoção do Programa de Ação Econômica do Governo (Paeg), afinado com as propostas do Fundo Monetário Internacional (FMI) para debelar a crise econômica. A inflação e o baixo crescimento (80% e 1,6%, respectivamente, registrados em 1963) seriam combatidos segundo os padrões monetaristas ortodoxos: corte de gastos públicos, contenção do crédito, arrocho dos salários. Em outras palavras, e no jargão usual, saneamento financeiro. Havia um projeto ambicioso para estabilizar a economia e as finanças, constituir um mercado de capitais no país, incentivar as exportações e atrair vultosos investimentos de capitais privados.

Os problemas existentes com as empresas estrangeiras concessionárias de serviços públicos, pedra no sapato do governo Jango, foram resolvidos com a compra negociada de seus ativos. Seguiram-se um generoso acordo de investimentos, oferecendo-se amplas garantias aos capitais de risco, e uma nova lei de remessa de lucros, acompanhados pelo reescalonamento das dívidas com os bancos privados e as instituições internacionais, afastando o espectro da moratória.

A aliança com os Estados Unidos traduziu-se ainda no congelamento das relações com o mundo socialista, numa igual hostilidade à Revolução Cubana e no envio, em 1965, de um contingente brasileiro para fazer parte de uma força militar interamericana, articulada pela Organização dos Estados Americanos (OEA) sob a batuta dos Estados Unidos, com o objetivo de legitimar a invasão da República Dominicana por fuzileiros estadunidenses. Abandonou-se a Política Externa Independente, ensaiada por Jânio Quadros e concretizada no governo de Jango, em prol de um alinhamento, sem nuances, em todos os fóruns internacionais, com os Estados Unidos.

O governo estadunidense e as instituições internacionais de crédito (FMI, Banco Mundial e Banco Interamericano de Desenvolvimento – BID), controladas por aquele, acolheram com satisfação o novo aliado. Não faltaram apoios e créditos. Contudo, seja pelas desconfianças acumuladas, seja por condições gerais desfavoráveis, os investimentos esperados de capitais internacionais não apareceram, frustrando as expectativas.

Em certa medida, por causa disso a política econômica não apresentou resultados convincentes. A inflação baixou, mas não foi domada: 86% em 1964, 45% em 1965, 40% em 1966. O crédito, escasso, provocava quebras no comércio e na indústria, ensejando críticas de comerciantes e industriais que mobilizavam suas poderosas organizações, pressionando. Quanto aos assalariados, premidos pelo arrocho, convertido em lei, tinham reajustes inferiores aos índices inflacionários. Se a insatisfação provocada pela situação não se exprimia através de movimentos sociais, bem controlados pela dupla força da repressão e da desmoralização política, consequência da derrota, ninguém ousaria dizer que a opinião pública estivesse, em sua maioria, favorável ao governo.

Do ponto de vista do ideário liberal-democrático, em nome do qual o golpe fora desferido, o governo ia muito mal das pernas.

Não foi possível revogar as tradições controladoras e intervencionistas do Estado brasileiro, ao contrário, nem se abandonou a concepção do planejamento. Na prática, novas instituições eram criadas, como o Banco Nacional da Habitação (BNH) e um super-Banco Central, destinado a supervisionar e controlar a produção e a circulação do dinheiro. A própria estrutura corporativa estatal, de patrões e trabalhadores, foi mantida e reforçada. Depois da perseguição e degola de alguns milhares de líderes sindicais, outros apareceram para ocupar os lugares vagos. Aqueles sindicatos, afinal, tinham sido criados pelo Estado Novo, uma ditadura. O estrito controle por parte do Estado estava inscrito no seu DNA. Assim, entre eles e a ditadura liberal cedo se encontraram termos de acomodação e não se falou mais no desmantelamento do *sindicalismo varguista*, demonizado antes pelos conservadores de todos os matizes como fonte permanente de distorções, de demagogia e de *peleguismo*.* Como se o peso de tradições se impusesse sobre a vontade reformadora do governo.

A repressão desatada permitia o questionamento do governo, que se dizia comprometido com os valores democrá-

* *Peleguismo*: a expressão provém do termo gaúcho "pelego", manta introduzida embaixo da sela para suavizar o peso do cavaleiro. Por extensão: pessoas conciliadoras, dispostas a dissimular, amaciar e aliviar as consequências da dominação social.

ticos. Milhares de cassações, sem falar nas operações desastradas de censura e na truculência dos IPMs, suscitavam comoção e desgaste.

Formou-se, assim, uma atmosfera de descontentamento. Não apenas entre os derrotados, mas também em setores expressivos da grande frente que apoiara o golpe. Líderes civis importantes do movimento vitorioso, como Magalhães Pinto e Carlos Lacerda, preocupados com a impopularidade do governo com o qual eram identificados pela opinião pública, inquietavam-se com as eleições que se avizinhavam, em 1965 e 1966. Começaram a pedir a substituição de Roberto Campos, ministro do Planejamento, e de Otávio Gouveia de Bulhões, da Fazenda, no que seriam acompanhados por boa parte da mídia conservadora, porém rebelde às determinações governamentais, e por todos aqueles que se mantinham adeptos de um Estado forte e intervencionista.

Tais dissonâncias geraram brechas por onde penetraram outras críticas, de estudantes e intelectuais.

Os chefes e chefetes da ditadura faziam a delícia de humoristas e cartunistas, que exprimiam a maré montante do desagrado da sociedade diante da ditadura, cujo caráter exclusivamente militar era particularmente enfatizado. Em qualquer manifestação de oposição ecoava a palavra de ordem: *abaixo a ditadura militar!* Os termos já circulavam e cedo se consolidariam. O propósito era isolar politicamente os governantes. Depois, como se veria na memória a respeito do regime, os *milicos*, protagonistas notórios do processo, seriam responsabilizados exclusivamente por tudo o que acontecera, omitindo-se – ou se ocultando – o papel e a importância das forças, dos movimentos e das lideranças civis. O fato é que as críticas acirraram-se depois da prorrogação do mandato de Castello Branco por um pouco mais de um ano, até março de 1967 (pela legislação anterior, ele se encerraria em 31 de janeiro de 1966). A prorrogação foi aprovada em julho de 1964 por uma emenda constitucional que passou a fórceps no Congresso. No teatro, na música de protesto, no cinema, nas artes plásticas, ecoavam as perplexidades e as amarguras de amplos setores sociais, até mesmo, como já observado, de muitos que haviam celebrado a vitória do golpe.

Destacaram-se no processo os estudantes universitários. Por ocasião do golpe, encontravam-se divididos, e apenas uma pequena minoria arriscou-se a defender o regime derrubado. Contudo, a ditadura, com truculência ímpar promovida por dezenas de IPMs e por um ministro da Educação (Flávio Suplicy de Lacerda) especialmente autoritário, fora capaz de ganhar, em pouco tempo, a hostilidade da maioria. De forma molecular, articulou-se uma oposição crescente, desafiando a lei que pusera na ilegalidade as entidades de coordenação do movimento estudantil, entre as quais a União Nacional dos Estudantes (UNE) e as Uniões Estaduais dos Estudantes (UEEs), substituindo-as por outras, colocadas sob controle do governo e que não conseguiriam se firmar. A partir de 1965, e, em particular, de 1966, os universitários começaram a fazer as primeiras manifestações de rua, enfrentando-se com a polícia.

Entretanto, de modo geral, todo esse movimento crítico tinha duas limitações. A primeira, e principal, era de ordem social. As massas de trabalhadores urbanos e rurais permaneciam em silêncio. O fenômeno não foi até hoje estudado com a devida atenção. A maioria parecia acomodada ou/e lutando pela sobrevivência em condições difíceis. As principais lideranças estavam na prisão, no exílio ou se escondendo da polícia. As que restavam encontravam-se desorientadas, dispersas e desmoralizadas pelo desabamento de suas referências político-partidárias e sindicais, construídas desde 1945-46, e que, súbito, desapareceram, quase sem luta. Sobreviviam atomizadas, envolvidas na amargura das ilusões perdidas.

Mas não havia apenas limitações de ordem social. Do ponto de vista do conteúdo, as oposições não pareciam compreender muito bem o que estava acontecendo. Quase todas as críticas apontavam as contradições e os impasses em que se encontrava o governo. Apostavam numa espécie de beco sem saída. Como se o país estivesse embalado em caminhada inevitável para uma explosão social, feito um barril de pólvora. A obtusidade daqueles *gorilas* seria incapaz de dirigir por muito tempo um país complexo como o Brasil. Eles seriam obrigados a recuar, pela força das circunstâncias, ou aquilo tudo explodiria, reabrindo horizontes para a única alternativa histórica possível para o desenvolvimento do próprio capitalismo: as reformas de estrutura. Assim, boa parte dos mais sofisticados intelectuais de esquerda – na academia ou fora dela –, inquietos ou esperançosos, teorizava uma *utopia do impasse*,[8] em linha de continuidade com o que havia de mais extremado na conjuntura anterior ao golpe. Articulava-se igualmente com o pensamento revolucionário que fluía do exemplo cubano. Os impasses eram generalizados, alcançavam o conjunto da América Latina. Os Andes estavam destinados a se transformar numa imensa Sierra Maestra.[9]

Com essas crenças se formaria, fragmentada numa miríade de organizações e partidos, a autodenominada *esquerda revolucionária*. Para ela, a instauração da ditadura fora uma tragédia, mas tinha uma virtude: a de limpar os horizontes, removendo da cena política as tradições moderadas e reformistas do PTB, de Jango e Brizola, e do PCB, de Prestes, soterradas sob os escombros da derrota política. Agora, não mais seria possível cultivar ilusões. As *massas* se transformariam em *classes*, e a hipótese da revolução, a autêntica revolução, certamente despontaria. Nessas construções, distantes da dinâmica real da sociedade, era impossível perceber que, no emaranhado contraditório das políticas da ditadura, tomava corpo um processo de modernização conservadora.

Em grande medida, elas apostavam no fracasso da ditadura. O governo Castello Branco, de fato, encerrou-se em meio ao descrédito e à insatisfação. Depois da prorrogação de seu mandato, desrespeitando solenes compromissos quando de sua "eleição" e posse, veio o Ato Institucional n.2 (AI-2), em reação às derrotas eleitorais para os governos de Minas Gerais e da Guanabara, em 27 de outubro de 1965. Editado sob sua direta responsabilidade, o AI-2 reinstaurou a dinâmica do estado de exceção, da ditadura: entronização de eleições indiretas para presidente da República, dissolução dos partidos existentes, com a imposição, de cima para baixo, de um sistema bipartidário; milhares de novas cassações (no fim do governo de Castello, mais de 3.500 pessoas haviam sido punidas pelos atos de exceção); deposição de governadores legalmente eleitos; recesso temporário do Congresso Nacional (entre 20 de outubro e 22 de novembro de 1966); decretação de eleições indiretas também para governadores, em sessões públicas e com voto nominal dos parlamentares, o que facilitava o controle e a decretação de medidas repressivas, no caso de eventuais rebeldias (o mesmo expediente já fora adotado para a eleição de presidente da República); extinção de eleições para prefeitos das capitais, a serem designados pelos governadores, após anuência das respectivas assembleias legislativas (Ato Institucional n.3 – AI-3, editado em fevereiro de 1966).

Apesar disso, o governo continuava capaz de mobilizar em torno de seus propósitos significativa parcela das lideranças civis nos meios empresariais, políticos e religiosos. A Aliança Renovadora Nacional (Arena), partido de apoio à ditadura, congregando parlamentares provenientes, sobretudo, mas não apenas, do PSD e da UDN, estruturara-se nacionalmente, ramificando-se nos estados e nos municípios, dando cobertura ao regime em parlamentos e governos de diferentes níveis.[10] Proeminentes lideranças civis também ocupavam cargos no governo e em numerosas instituições direta ou indiretamente controladas por aquele poderoso Estado, frente ao qual tiveram de se curvar os princípios liberais que pareciam inspirar o início do governo Castello Branco. Mesmo entidades consagradas na memória social como de oposição ao regime, como a Ordem dos Advogados do Brasil (OAB) e a Conferência Nacional dos Bispos do Brasil (CNBB), o apoiaram no início ou/e conciliaram com ele por longos anos, como a Associação Brasileira de Imprensa (ABI).[11] Assim, e vale a pena ressaltar o fenômeno, é inquestionável a *dimensão civil* do regime ditatorial, mesmo que o topo da pirâmide do poder fosse ocupado por chefes militares.

Outro aspecto relevante, não devidamente avaliado pelas organizações revolucionárias, e também expressivo, é que a maior parte das oposições ao governo, políticas e sindicais, era bastante moderada, não assumindo programas radicais. Até mesmo a formação do Movimento Democrático Brasileiro

(MDB), no quadro do bipartidarismo imposto, fora viabilizada por apoios dissimulados do governo, sem o que, dadas as exigências legais, talvez nem se formasse o partido da oposição legal.[12] O que esta desejava, apoiada na clandestinidade pelo que restara do PCB, era o restabelecimento da democracia, mas sem embates violentos nem recurso à força, de resto, inexistente, nos arraiais oposicionistas. O aproveitamento das brechas legais, no entanto, não parecia entusiasmar. As eleições dos candidatos de oposição aos governos de Minas Gerais e da Guanabara em 1965, Israel Pinheiro e Negrão de Lima, respectivamente, foram seguidas pela edição do AI-2, enquadrando os eleitos, figuras políticas, aliás, que seria difícil exceder em moderação, sempre abertas ao diálogo com o regime ditatorial e dispostas a se submeterem frente a suas imposições e seus desmandos. Nas eleições de 15 de novembro de 1966 (Congresso Nacional, assembleias legislativas, prefeitos e câmaras municipais), o elevado contingente de votos nulos e brancos exprimiria o descrédito em que se encontravam as instituições representativas.

Em seus últimos meses de governo, Castello Branco efetuou ações estratégicas no sentido de institucionalizar a ditadura, dotando-a de um estado de direito autoritário que pudesse, porém, prescindir do recurso continuado a atos de exceção. Nessa altura, o general Costa e Silva, ministro do Exército que impusera a Castello Branco a candidatura de si próprio à Presidência desde fins de 1965, já fora sufragado presidente-ditador pelo Congresso, em eleição indireta, em 3 de outubro de 1966. Seus correligionários caracterizaram os planos de Castello Branco como uma tentativa de enquadrar juridicamente o sucessor, reduzindo-lhe as margens. Mesmo que a intenção existisse, o fato é que a institucionalização projetada significava, objetivamente, a superação do estado de exceção, ou seja, da ditadura.

Os propósitos ficaram, no entanto, singularmente limitados pelos métodos expeditivos e ditatoriais adotados. O projeto constitucional foi elaborado por uma pequena comissão, dirigida despoticamente pelo próprio Castello Branco e discutida e aprovada, a toque de caixa, e de clarins, por um Congresso encolhido e ameaçado, eleito ainda antes do golpe, em 1962, desfigurado pelas dezenas de cassações e que não fora escolhido com atribuições constitucionais. O novo Parlamento, eleito em 15 de novembro de 1966, embora também relativamente deslegitimado pelo elevado percentual de votos brancos e nulos, foi ignorado.

Na sequência o ditador também fez aprovar novas Leis de Imprensa e de Segurança Nacional.

Outro aspecto do período governado por Castello Branco, e ainda muito pouco estudado, foi a criação de instituições para o mundo do trabalho. O Estatuto da Terra (Lei n.4.504), de 30 de novembro de 1964, disciplinou o uso da terra, definindo, entre outros, os conceitos de reforma agrária e módulo rural e introduzindo mudanças na legislação fundiária: até hoje o seu conteúdo é contrastado positivamente com o consagrado pela nova Constituição, de 1988. O Fundo de Garantia do Tempo de Serviço (FGTS), de 1966, que substituiu aspectos importantes da legislação trabalhista varguista, fundada no instituto da estabilidade, não teve sua revogação demandada depois que a ditadura acabou – foi consagrado na Constituição de 1988. Finalmente, o Instituto Nacional de Previdência Social (INPS, também de 1966, substituindo o sistema anterior, que organizava a assistência social de forma fragmentada e corporativa, centralizou o regime previdenciário, antecipando tendências futuras que mantiveram e consolidaram a centralização e a universalização da assistência na forma do Sistema Único de Saúde (SUS), hoje existente. É interessante constatar que tais legislações reforçavam o intervencionismo estatal. O fato de que tendências nelas impressas não tenham sido revogadas por demandas dos trabalhadores é mais uma evidência que atesta as complexas relações estabelecidas entre a ditadura e a sociedade.

No ocaso do primeiro governo ditatorial, o programa internacionalista-liberal não se realizara. Fora mais fácil depor um presidente e cassar lideranças do que transformar estruturas ancoradas na tradição. É verdade que todos os anéis tinham sido salvos, e bem-postas certas bases econômico-financeiras e institucionais que serviriam no futuro. Contudo, mais de vinte anos se passariam até que as plataformas defendidas logo depois do golpe se reatualizassem, o que ocorreria nos anos 1990, durante os governos de Fernando Collor de Mello e Fernando Henrique Cardoso (FHC). Nesse sentido, Castello Branco foi um pioneiro, ou um precursor, um neoliberal *avant la lettre*.

Na memorialística elaborada por seus amigos, Castello Branco aparece como um militar *civilista*, um homem do diálogo, comprometido com os valores democráticos, resistindo às pressões da *linha dura*. A interpretação se consolidaria em certos círculos à luz dos tempos ainda mais sombrios que se seguiram. No contraste, o primeiro período da ditadura tem sido reconstruído como especialmente brando.

Não é o que mostram as evidências.

Da criação do Serviço Nacional de Informações (SNI) à repressão desatada, das cassações à dissolução dos partidos, da prorrogação do próprio mandato à instauração de eleições indiretas para presidente da República e governadores dos estados, do espancamento de presos à adoção da tortura como política de Estado, Castello e o regime que presidia decantaram-se, convertendo-se numa ditadura.

A partir de 1967, as atenções voltaram-se para o novo general-presidente, Costa e Silva. Ele governaria numa outra atmosfera, sem a sombra de Atos Institucionais. Paradoxalmente, apesar de seus compromissos com a chamada *linha dura*, vinha com promessas de reconciliação democrática e de desenvolvimento econômico.

Do estado de direito autoritário à restauração da ditadura aberta

No discurso de posse, como o antecessor e os sucessores, Costa e Silva prometeu diálogo, respeito aos valores democráticos, ordem jurídica estável e reformas. E proclamou: "A meta do meu governo é o homem." Subjacente, uma crítica ao governo anterior, preocupado exclusivamente com números e cifras.

Tratava-se de apostar novamente no desenvolvimento, dando um basta à recessão que aprofundava a impopularidade do regime. A orientação do novo ministro da Fazenda, Delfim Netto, passou a enfatizar a queda dos juros e a ampliação do crédito e dos incentivos aos investimentos e às exportações, revogando, na prática, as opções dos gestores anteriores da economia, Roberto Campos e Otávio Gouveia de Bulhões.

Em 1967, o país já registrou um razoável crescimento: 4,8%. No ano seguinte, quase o dobro: 9,3%. O crescimento da atividade industrial alcançou o invejável patamar de 15,5%, liderado pela construção civil, com 17% de crescimento. A decolagem era produto da combinação de medidas governamentais com uma série de condições favoráveis, internas – ociosidade do parque industrial, demanda reprimida, saneamento financeiro executado pelo governo anterior – e externas – início de um *boom* espetacular no mercado internacional. Entre 1967 e 1973, o comércio mundial cresceu a uma taxa de 18% ao ano.

Entretanto, a insatisfação acumulada – e represada – durante o governo anterior tenderia agora a desaguar em protestos e movimentos públicos.

As contradições evidenciaram-se na própria frente que protagonizara o golpe. A maior expressão do fenômeno foi a aliança entre Carlos Lacerda, João Goulart e Juscelino Kubitschek, a Frente Ampla, formada ao longo de 1967. Empreendida pelo primeiro, considerada *contre-nature* pelas direitas mais definidas, exprimia a insatisfação das lideranças civis, golpistas ou não, marginalizadas pelo regime ditatorial.

Nessa mesma faixa de opinião, e pelos mesmos motivos, correntes liberais ou, no polo oposto, corporativistas, distanciavam-se do governo e articulavam críticas. Na oposição *liberal-conservadora*, destacava-se parte importante da grande imprensa, capitaneada por *O Estado de S. Paulo*, *Correio da Manhã* e *Jornal do Brasil*. Alinhavam-se em posições afins setores minoritários, mas expressivos, da Igreja católica, transitando para posições hostis ao poder, denunciando a política econômica e as violações – repetidas – dos direitos humanos e democráticos. Tais setores, como a Ordem Dominicana, passaram à ação, protegendo e abrigando correntes radicais de oposição, entre elas organizações estudantis universitárias postas na ilegalidade. Também nas agências estatais e nas universidades, impregnadas pelo corporativismo e pelo patrimonialismo, os propósitos liberais de Castello Branco nunca foram unanimidade.

Entre os intelectuais, eram visíveis as manifestações contra o governo, cujas repercussões têm sido superdimensionadas pela memória social, mas que, realmente, foram efetivas. No teatro, no cinema, nas artes plásticas, na literatura e na imprensa, com destaque para cronistas e humoristas, eles não poupavam críticas ao regime. No mundo musical – de importância capital no universo cultural do povo brasileiro – destacava-se a chamada música de protesto, com denúncias, incentivos e sugestões de luta (Geraldo Vandré e Chico Buarque de Hollanda, entre muitos e muitos outros).

Não se pode esquecer, porém, uma ampla gama de atividades e de personagens, menos recordados, mas com sucesso de mídia e de público, que se alinhavam de modo diverso. Havia ali espaço para a complacência, a indiferença ou a cumplicidade franca em relação ao regime ditatorial. Tais estados de espírito eram visíveis na imprensa,[13] mas também no mundo da cultura. Para muitos, o regime deveria ser apoiado abertamente, embora às vezes se formulassem ressalvas. Para outros tantos, as lutas políticas passavam literalmente *à côté*, como entre a Jovem Guarda, de Roberto e Erasmo Carlos. Não eram nem contra nem a favor delas, muito pelo contrário... e nem por isso recebiam menos atenção ou aplausos.[14]

De modo análogo, em relação ao cinema, a memória social compraz-se até hoje na ênfase a certos filmes e autores, como *Os fuzis*, de Ruy Guerra, ou *Deus e o diabo na terra do sol*, de Glauber Rocha, obras clássicas de uma cinematografia de *resistência*. De alta qualidade estética, atraíam reduzido público. Os campeões de bilheteria eram Roberto Farias com um filme sobre Roberto Carlos, melhor bilheteria de 1968, e José Mojica Marins, cujos filmes de terror – como *Esta noite encarnarei no teu cadáver* – lotavam as salas de exibição. Sem contar as pornochanchadas, que, apesar de censuradas e sem financiamento estatal, despontavam na preferência popular.

Ambiguidades que merecem ser consideradas na avaliação dos movimentos de opinião pública. Não se deve esquecer que as massas populares, sem recursos para ir ao cinema, embalavam-se nos programas de televisão: novelas – que já então conheciam uma trajetória de sucesso –, shows de variedades e programas humorísticos que só muito raramente, e de forma indireta, sempre moderada, ingressavam na seara das questões políticas.

Entretanto, em 1967, primeiro ano do governo Costa e Silva, o diálogo prometido funcionava mal, ou não funcionava, em face das pressões do único movimento social ativo – o dos universitários. Manifestações reivindicatórias eram enfrentadas com uma repressão desproporcional. Às vezes, parecia haver uma emulação entre parte da imprensa liberal, que passara à oposição ao governo, e a polícia, que reprimia os protestos: ambos exageravam a força dos estudantes – uns querendo enfraquecer o governo; outros, provar que eram indispensáveis.

Em 1968, o movimento estudantil tomou outro vulto, em especial no primeiro semestre, culminando na chamada Passeata dos Cem Mil, no Rio de Janeiro. Não apenas se unificaram as lutas dos estudantes em torno de suas entidades representativas, várias ilegais, e de reivindicações concretas, mas também toda uma série de categorias descontentes passou a se agrupar ao lado deles: secundaristas, principalmente em cidades do interior, artistas, religiosos, professores, bancários.

Na atmosfera então criada, e contaminados por ela, núcleos operários despontaram para a luta. Em Contagem, cidade industrial perto de Belo Horizonte (MG), e em Osasco, próxima de São Paulo (SP), importantes greves e passeatas se realizaram por reivindicações salariais e melhorias das condições de trabalho. Foram logo dominadas, mas suscitaram esperanças de que uma nova onda de pressões trabalhistas estivesse prestes a desencadear. Não foi o caso. Só em fins dos anos 1970, uma década depois, é que o movimento operário recobraria vigor e consistência.

A nebulosa oposicionista não era homogênea e coesa. Havia ali, sem contar as nuances, três correntes diferenciadas. Associavam-se nas críticas à ditadura, contudo suas afinidades terminavam aí. Numa corrente moderada, e amplamente majoritária, articulavam-se os moderados do MDB, apoiados na clandestinidade pelo PCB, e mais os setores que haviam participado da frente golpista e que agora se encontravam, por razões diversas, insatisfeitos com os rumos do regime ditatorial (Frente Ampla, setores eclesiásticos, liberais, lideranças civis golpistas etc.). Queriam a restauração da democracia nos moldes da que existia antes do golpe, e defendiam uma transição pacífica, através do diálogo e da persuasão.

Um outro tipo de oposição exprimia-se no movimento estudantil que estava nas ruas: tinha um marcado caráter sindical, retomando aspectos do programa da reforma universitária formulado no período anterior a 1964. Do ponto de vista político, era um movimento democrático radical e preconizava a derrota da ditadura. Mas era uma incógnita de difícil resolução saber como isso se daria.

Uma terceira vertente imaginava ter respostas claras para o enigma: eram as organizações revolucionárias clandestinas. Controlavam muitas entidades representativas estudantis e apareciam nas passeatas com propósitos que ultrapassavam o escopo das mesmas, ecoando palavras de ordem de enfrentamento armado com a ditadura. A polícia política, e mesmo alguns estudiosos, mais tarde, confundiram o movimento social estudantil com as organizações revolucionárias clandestinas. Havia ali entrelaçamentos e afinidades, sem dúvida, mas as passeatas eram um movimento democrático e sindical, embora radical, enquanto a esquerda revolucionária, constituída por grupos de vanguarda, já estava decidida a empreender a luta armada contra o regime, considerada recurso indispensável e principal para derrubá-lo. De resto, não desejavam apenas se livrar da ditadura, queriam também destruir o sistema capitalista, abrindo a via para a construção de um regime alternativo, socialista.

Algumas das organizações de esquerda revolucionária já a partir de 1965 tentariam desfechar ações armadas. Num primeiro momento, destacaram-se grupos nacionalistas radicais, vinculados, direta e indiretamente, à liderança de Leonel Brizola e apoiados, política, moral e materialmente, pelos revolucionários cubanos. Em 1965, um pequeno contingente de guerrilheiros, liderado pelo tenente-coronel Jefferson Cardim, invadiu o país pelo Sul, sendo rapidamente controlado e derrotado. No ano seguinte, teria início a instalação de um foco guerrilheiro brizolista na região da serra de Caparaó, entre Minas Gerais e Espírito Santo. Foi abortado pela polícia antes de entrar em ação. A partir de 1967, através da expropriação de armas e de dinheiro, começou a tomar corpo uma outra organização revolucionária, a Ação Libertadora Nacional (ALN), constituída por ex-militantes do PCB e dirigida por Carlos Marighella. Em 1968, paralelamente às passeatas estudantis, e sem ligação orgânica com elas, a ALN e outras organizações afins, como a Vanguarda Popular Revolucionária (VPR), já atuavam, atacando bancos e instituições comprometidos com a ditadura, executando representantes do regime e realizando operações de agitação e propaganda protegidas pelas armas (*propaganda armada*).

Eram pequenas ações, e muito pequenas as organizações envolvidas. Todavia, pelo ineditismo e pelo simbolismo do desafio, surpreendiam a polícia política, despreparada para enfrentá-las, e provocavam imensa repercussão midiática e na sociedade, suscitando admiração e receio, pela aparência de determinação e eficácia. O fenômeno dava continuidade ao que havia de mais radical no movimento anterior a 1964 e se nutria de duas referências já aqui referidas: a da *utopia do impasse*, ou seja, a ideia de que o governo não tinha condições históricas de oferecer alternativas ao país, mesmo dentro do sistema capitalista; e a de que as massas populares, desiludidas com a derrota dos programas reformistas, tenderiam a passar para posições radicais de enfrentamento armado, revolucionário.

Contra todas as oposições, o governo Costa e Silva jogou de forma pesada, como se mobilizasse canhões contra passarinhos, na comparação do sociólogo Florestan Fernandes.

Já no segundo semestre de 1968, os estudantes davam claros sinais de que estavam recuando. A maioria estava disposta a reivindicar e a denunciar, mas não a ponto de arriscar-se em um vale-tudo de vida ou morte. Somente os mais radicais, alguns poucos milhares de jovens, mantinham o ânimo frente à repressão desencadeada. O canto do cisne ocorreu quando da dissolução, pela polícia, do XXX Congresso da UNE, organizado clandestinamente em Ibiúna, interior de São Paulo, em outubro de 1968, quando foram presas centenas de lideranças.

A essa altura, as oposições liberais e moderadas já se encontravam sem rumo. Privadas da Frente Ampla, interditada desde abril, após alguns comícios no interior do país, dispunham apenas do MDB, que estava, contudo, profundamente desacreditado. Assim, resumiam sua atividade a batalhas de retaguarda, sem conseguir abalar as bases de sustentação do governo.

No interior do regime, porém, muitos se inquietavam. Aquela nebulosa – oposicionista – podia eventualmente se condensar e oferecer perigo real de desestabilização da ordem, ameaçando a ditadura. Foi tomada, assim, a decisão de passar à ofensiva, aquela história de "almoçar os inimigos antes que eles nos jantem".[15] Tendo como pretexto a recusa da maioria do Congresso em autorizar o processo judicial do deputado Márcio Moreira Alves, do MDB, acusado de haver proferido no plenário da Câmara um discurso ultrajante às Forças Armadas, Costa e Silva relançou a dinâmica do arbítrio, decretando, em 13 de dezembro de 1968, o Ato Institucional n.5 (AI-5), fechando os parlamentos por tempo indeterminado, recobrando amplos poderes discricionários e reinstaurando, de modo inaudito, o estado de exceção, a ditadura.

Um golpe dentro do golpe.

A ditadura sem disfarces, escancarada.[16]

4. Os anos de ouro e de chumbo: a retomada do nacional-estatismo (1968-1974)

REINSTAURADA A DITADURA, foram favorecidas, aparentemente, as propostas radicais de luta. Chegara a hora das organizações da *esquerda revolucionária*?

No estado de exceção determinado pelo AI-5, com as margens de liberdade e de críticas políticas reduzidas a zero, era como se estivessem realizando as previsões catastróficas da *utopia do impasse*. O advento do tudo ou nada. Ou, como se dizia entre os revolucionários, socialismo ou barbárie, sem nuances nem meios-termos. Assim, entre 1969 e 1972, desdobraram-se ações de guerrilha urbana: expropriações de armas e fundos; ataques de surpresa a quartéis ou a postos policiais; propaganda armada.

Nas cidades, as operações de captura de diplomatas estrangeiros foram, sem dúvida, as mais importantes. A primeira, e que mais chamou a atenção, foi a captura do embaixador estadunidense Charles Burke Elbrick, no Rio de Janeiro, em 4 de setembro de 1969. Em troca de sua vida, a ditadura foi obrigada a ler em cadeia de rádio e televisão e a publicar nos principais jornais do país um violento manifesto com denúncia dos crimes cometidos pelo governo, entre os quais a tortura sistemática dos presos políticos, um balanço das ações da guerrilha urbana até então desfechadas e uma declaração de guerra ao regime – uma guerra revolucionária –, anunciando-se já para o ano seguinte o desencadeamento da guerrilha rural. Exigia-se, ainda, a libertação imediata de quinze prisioneiros políticos de diversas organizações de esquerda, incluindo-se aí o veterano Gregório Bezerra, militante do PCB que não apoiava as ações armadas mas se tornara um símbolo das esquerdas por sua determinação e coragem e pelas torturas públicas a ele infligidas por oficiais do Exército em Recife (PE) quando de sua prisão, logo após o golpe. Assinavam o manifesto duas organizações: o Movimento Revolucionário 8 de Outubro (MR-8), como se intitulou então a Dissidência Comunista da Guanabara (DI-GB), e a ALN, liderada por Carlos Marighella, embora o líder comunista não houvesse participado pessoalmente do episódio.

No ano seguinte, outras ações semelhantes seriam executadas em março (cônsul japonês, em São Paulo), junho (embaixador alemão, no Rio de Janeiro) e dezembro (embaixador suíço, também no Rio de Janeiro), que levariam à libertação de mais 115 militantes presos e torturados em troca da vida desses diplomatas. Novas investidas contra representantes estrangeiros ainda seriam empreendidas em Porto Alegre e Recife, mas foram frustradas pela polícia.

Na memória construída pela sociedade, essas ações de guerrilha urbana de captura de diplomatas, essencialmente políticas, ficaram registradas como *sequestros*, expressão do Direito Penal usada para configurar crimes comuns. O termo foi usado, às vezes, pelos próprios militantes. Do mesmo modo, os presos libertados aparecem como *banidos*, quando se sabe que o banimento foi uma figura jurídica inventada pela ditadura para dar uma fachada formal à sua capitulação. A isso se chama hegemonia, quando os vencedores conseguem fazer com que os vencidos usem o seu vocabulário, carregado de conotações pejorativas. Não foi assim com a chamada *Intentona Comunista*, que designou, por décadas, o movimento derrotado em 1935? E o que dizer dos líderes mineiros que lutaram pela independência do país, em fins do século XVIII, "homenageados" até hoje como inconfidentes, ou seja, como os que traíram a confiança neles depositada? Tratava-se de uma linguagem da monarquia portuguesa, usada por ela; em tese, portanto, não deveria ser empregada pelos que celebravam, e celebram até hoje, o feito dos mal chamados inconfidentes.

As capturas de diplomatas, de caráter espetacular, impressionaram as gentes e injetaram uma dose de entusiasmo nos participantes das ações, cuja autoconfiança, já alta, foi reforçada. De fato, elas alcançaram seus objetivos imediatos, mas o sucesso foi apenas momentâneo. No plano estratégico, pela magnitude da repressão que suscitaram, acabaram sendo nocivas para as esquerdas revolucionárias – apesar de seu otimismo, elas estavam política e socialmente isoladas. Já em fins de 1972, essas organizações e grupos haviam sido destruídos nas cidades.

Também no campo houve alguns enfrentamentos. Em abril de 1970, no vale do Ribeira, em São Paulo, um grupo de guerrilheiros da VPR, sob a liderança do capitão Carlos Lamarca, surpreendido durante um treinamento por tropas do Exército e da polícia, conseguiu furar o cerco armado por milhares de soldados e voltar para São Paulo com pouquíssimas baixas.

Em setembro de 1971, no interior da Bahia, cercado novamente numa área onde estava escondido, preparando condições para uma futura guerrilha, Lamarca não teve a mesma sorte. Isolado e sem recursos, foi assassinado.

O mesmo destino teriam algumas dezenas de guerrilheiros no Araguaia, na região amazônica. Vinculados ao Partido Comunista do Brasil (PC do B), uma dissidência do PCB formada ainda em 1962, eles protagonizaram a mais importante tentativa de construir um foco de guerrilha rural no país. A experiência ainda estava amadurecendo, em 1972, quando foram descobertos pelo Exército. Num primeiro momento, conseguiram escapar, quase intactos. Nos dois anos seguintes, porém, em sucessivas campanhas, os militares deram cabo do grupo, torturando, matando e degolando quase todos, além de barbarizar as populações e desaparecer com os corpos. Até hoje, após mais de quarenta anos, o Exército não reconhece esses crimes. A saga do Araguaia, embora já pesquisada e estudada, ainda merece reflexões. Muitos foram delatados pelos camponeses que os revolucionários pretendiam salvar da miséria e da opressão. Na sequência, um dos chefes dos torturadores tornou-se querido pelas gentes e acabou eleito prefeito de uma das cidades locais. As reviravoltas e surpresas da história...[1]

A sociedade assistiu a todo esse processo como se fosse uma plateia de jogo de futebol. Espectadoras de um filme ou de uma telenovela. Em algumas ocasiões, havia quem simpatizasse com os revolucionários: foi o que aconteceu quando da captura do embaixador estadunidense. A população divertiu-se com o embaraço dos poderosos frente à ousadia de um punhado de moças e de rapazes – bravos meninos e meninas – que obrigaram a ditadura a ficar de joelhos, nem que fosse por alguns instantes. Em outros momentos, porém, os revolucionários e seus esconderijos seriam delatados por populares à polícia.

Aquela *guerra*, como a chamavam os militantes de esquerda e a polícia política, era algo que a maioria da população não conseguia compreender, quanto mais dela participar de forma direta. Ao contrário do que os envolvidos nas ações imaginavam, poucos compartilhavam de suas convicções e certezas. E elas eram indispensáveis para correr os riscos e passar pelos sacrifícios inerentes ao desafio aberto pela ditadura. Por outro lado, também não é certo que houvesse simpatia pelos métodos brutais empregados pelos torturadores, embora boa parte da sociedade brasileira já tivesse então aprendido a conviver serenamente com a tortura, se empregada apenas contra os chamados *marginais*. Desde que o jogo sujo se passasse fora das vistas e longe dos ouvidos, nas celas imundas de fedor e de sangue, porém fechadas e bem guarnecidas por isopor à prova de som, sempre seria possível sustentar que os *excessos* eram ignorados, e a sociedade, inocente. É o que muita gente faz até os dias de hoje.

De modo que aquela luta desigual acabou em massacre.

Encurralados por uma repressão crescentemente sofisticada e profissional, onde se misturavam oficiais das Forças Armadas, policiais civis e militares e notórios torturadores, os guerrilheiros, quase sempre inexperientes, dispondo apenas da vontade e da ousadia, foram escorraçados da história. Longe de constituírem forças radicalmente inovadoras, como esperavam ser, não passaram de uma última espuma das ondas levantadas pelos movimentos anteriores a 1964. Autoritários e soberbos, generosos e audaciosos, no limite da arrogância, equivocaram-se de sociedade e de tempo histórico – e pagaram com a existência, física e política, pelos erros cometidos e por desejar aquela revolução que tanto amavam, mas que, definitivamente, faltara ao seu encontro.[2]

À sombra dessa derrota, e sob as asas do terror do AI-5, construíram-se complexas relações entre a ditadura e a sociedade, do que resultou um país próspero e dinâmico.

Em um contexto internacional favorável, marcado pela expansão acelerada do comércio internacional e pela disponibilidade de capitais para investimento e financiamento, o que não se repetiria nas décadas seguintes, e apoiado por um conjunto de medidas e incentivos estatais, o capitalismo brasileiro avançava agora com botas de sete léguas na linha ascendente inaugurada em 1967.

"Milagre econômico" e santo milagreiro: o reencontro com o nacional-estatismo

A sinfonia dos índices anuais do Produto Nacional Bruto (PNB) era doce música para todos os que se beneficiavam, e motivo de inquietação para os que acreditavam na *utopia do impasse*. A dança, para o alto, dos números impressionava, e impressiona até hoje, já que o país nunca mais apresentou tão elevados resultados: 9,5%, em 1970; 11,3%, em 1971; 10,4%, em 1972; 11,4%, em 1973. Na ponta, a indústria, com taxas de 14% anuais, com destaque para as locomotivas do processo: a indústria automobilística, a de eletroeletrônicos, a construção civil, com taxas superiores a 20% ao ano. Mesmo os setores menos dinâmicos, como o de bens de consumo popular, apontavam índices inusitados: 9,1%, em média, para o período. As exportações tiveram aumentos de 32% ao ano, ensejando um ritmo equivalente das importações.

Mais do que aumentos quantitativos, promoviam-se mudanças qualitativas: o aparecimento de uma indústria petroquímica; o desenvolvimento das telecomunicações, integrando o país; a expansão das rodovias e do complexo hidrelétrico; a constituição de um sistema bancário comparável ao que havia de mais sofisticado no mundo. No campo, o projeto reformista fundamentado na distribuição da terra e na agricultura familiar cedera lugar, com estímulo do governo, a grandes unidades agrícolas, mecanizadas – aumentando a produção e possibilitando o aparecimento de novas culturas, como a da soja, campeã das exportações, e a dos cítricos. No comércio internacional, para além do já referido crescimento, a introdução de uma proporção cada vez maior de manufaturados na pauta de exportações, fato amplamente divulgado nas propagandas governamentais.

A essa altura, o programa liberal-internacionalista liderado, em certo momento, por Castello Branco, transformara-se em coisa do passado.

Na tradição fundada pela ditadura varguista, o Estado voltava a incentivar, regular, financiar e proteger, intervindo ativamente nos mais variados setores econômicos. Além disso, reforçava o papel das empresas estatais. Ao tempo que ganhavam dinamismo as já conhecidas, como a Petrobras, a Vale do Rio Doce e a Companhia Siderúrgica Nacional (CSN), outras – igualmente gigantescas – ganhavam alento, como a Eletrobras e a Siderbras, holding da produção de aço. Associadas ao capital privado, nacional e estrangeiro, não raro eram subsidiadas pelo governo, mesmo à custa de prejuízos, com bens intermediários e matérias-primas vendidas a preços "estimulantes". Num outro plano, através de bancos próprios, como o Banco Nacional de Desenvolvimento Econômico (BNDE), o Banco do Brasil (BB), o BNH e a Caixa Econômica Federal (CEF), ou de mecanismos financeiros determinados pelo Banco Central, o Executivo incentivava e arbitrava fusões e associações de empresas às quais compareciam, com frequência, os capitais estatais.

Com base nas empresas estatais e nos capitais privados nacionais e estrangeiros, formou-se uma aliança de interesses análoga à que se constituíra sob o governo presidido por JK, na segunda metade dos anos 1950. Nessas combinações, o poder público aparecia, em todos os setores, como que hipertrofiado – no crédito, nas finanças, nos investimentos, na infraestrutura, nas exportações.

O país, comparado a um imenso canteiro de obras, foi tomado por incontida euforia desenvolvimentista. O governo Emílio Garrastazu Médici criou então uma agência própria de propaganda, a Assessoria Especial de Relações Públicas (Aerp), para martelar slogans otimistas, animando, encorajando, com mensagens positivas, construtivas e ufanistas: *Pra frente, Brasil. Ninguém mais segura este país. O futuro chegou. Brasil, terra de oportunidades. Brasil, potência emergente.* Para os que ainda discordavam, restava a porta de saída, segundo plágio de conhecida campanha estadunidense: *Brasil, ame-o ou deixe-o.**

A conquista do tricampeonato mundial, no México, em 1970, foi uma bênção para esses propósitos de celebração patriótica, até mesmo porque era o primeiro campeonato mundial de futebol transmitido ao vivo para todo o país. A cobiçada Taça Jules Rimet, definitivamente conquistada, era agora *nossa*, e o futuro também.

Dois anos mais tarde, o auge seria alcançado com as festas dos 150 anos – o sesquicentenário – da Independência do Brasil. Durante meses a fio, entre abril e setembro de 1972, o

---

* No original: *America, love it or leave it.*

país festejou, empolgado, além da conquista de 1822, o que o governo trombeteava como a segunda independência: a econômica, dada pela prosperidade do que todos chamavam de "milagre brasileiro".[3] De quebra, houve ainda a conquista de um outro campeonato internacional de futebol, uma minicopa do mundo organizada no Brasil e ganha com uma final sob medida: Brasil 1 × 0 Portugal.

O Maracanã, lotado, ovacionava o general Médici, que, de radinho de pilha no ouvido ou fazendo embaixadas com bola de futebol, explorava o tipo do brasileiro comum, torcedor apaixonado das *coisas brasileiras*. O Ibope confirmava índices altos de popularidade para o ditador-presidente, e a admiração pela ordem vigente também encontrava expressão na música, principalmente a sertaneja, muito mais consumida que a chamada Música Popular Brasileira (MPB) mas pouco estudada, como se os sertanejos não fossem "populares".[4]

Nesse jardim de rosas, porém, nem tudo eram flores. Como diz a canção, havia espinhos também.

A doença e o posterior afastamento do general Costa e Silva, em julho-agosto de 1969, e o impedimento forçado do então vice-presidente, Pedro Aleixo, substituído pela entronização de uma Junta Militar – um novo golpe –, evidenciou, mais uma vez, o caráter ditatorial do regime. O sistema através do qual o novo presidente foi escolhido – por uma inédita votação entre os oficiais-generais – prejudicou a imagem internacional do país. Não adiantou reconvocar o Congresso, em outubro de 1969, fechado desde a edição do AI-5, em dezembro de 1968, para *eleger* o general Garrastazu Médici, pois ninguém tinha dúvida de que sua verdadeira unção já havia sido feita pelo

Alto-Comando das Forças Armadas.* Médici já estava "eleito" antes de ser votado. O episódio reafirmou o protagonismo dos militares e a convicção, entre as oposições de todos os bordos, de que aquele regime era exclusivamente uma ditadura militar.

A consequência é que aumentou o descrédito na democracia representativa e em seus principais órgãos, os parlamentos. Os resultados das eleições realizadas em 15 de novembro de 1970[5] para Senado, Câmara Federal, assembleias estaduais e câmaras de vereadores (único momento em que houve eleições simultâneas para todos os níveis na história do país) revelaram uma enorme proporção de votos nulos e brancos, cerca de 30%, em maior número que em 1966, embora as esquerdas radicais, agora, pouco pudessem fazer, já que se encontravam debilitadas. Entretanto, o regime confortava-se com suas maiorias, ganhas sobretudo no Brasil profundo, nos grotões dos interiores e das cidades menores, embora obtivesse também votações expressivas nas médias e grandes cidades. Tal fato seria confirmado em 3 de outubro de 1970, nas eleições – indiretas – para governador, realizadas pelas assembleias legislativas estaduais. Correligionários da ditadura ganharam todos os governos, com exceção do da Guanabara, onde o eleito, Antônio de Pádua Chagas Freitas, do MDB, não podia ser computado propriamente como um homem de oposição.

Assim, os apoios civis da ditadura – ativos e conscientes – continuavam consideráveis. Sem eles os militares não conseguiriam governar. Na gama diferenciada de atitudes que con-

---

* O Congresso Nacional permaneceu fechado de 13 de dezembro de 1968 a 21 de outubro de 1969. Quatro dias depois de reaberto, em 25 de outubro, "elegeu" Emílio Garrastazu Médici presidente da República. Seria difícil montar fachada mais grosseira.

tribuiriam para a estabilidade do governo e do país merecem ainda ser registradas a simpatia não entusiasta, a neutralidade benévola, a indiferença, ou, no limite, a sensação de absoluta impotência.[6] Ziguezagueando entre elas, em atitudes ambíguas ou ambivalentes, muitos erravam em áreas indefinidas, de penumbra, que um autor chamou de *zona cinzenta*.[7] Em determinados momentos, parecia que o governo havia conseguido constituir, em torno de si, uma espécie de consenso, embora o debate sobre a questão, e sobre o próprio conceito, ainda permaneça em aberto.[8]

O mesmo quadro favorável não se reproduzia em escala internacional. A essa altura, no começo dos anos 1970, e apesar dos esforços dos homens – e da propaganda – do regime, disseminava-se em sociedades de opiniões públicas mais atentas a ideia de que existia uma ditadura violenta no Brasil. Concorriam para isso as denúncias, cada vez mais numerosas e consistentes, do emprego da tortura como política de Estado. Os desmentidos oficiais não bastavam frente às evidências, trombeteadas por pequenos grupos exilados em outros países, aliados a forças políticas de esquerda ou progressistas, e também por personalidades brasileiras que em viagens ao exterior abordavam o constrangedor assunto em público. Nessa atividade, e apesar de ameaçado, destacou-se, com grande coragem, o arcebispo de Olinda e Recife, d. Helder Câmara. Os mosquitos estavam ferroando o elefante, e, nesse caso particular, Davi incomodava Golias.

Em outro plano, os êxitos econômicos não conseguiam disfarçar as desigualdades sociais que começaram, no início ainda dos anos 1970, a ser denunciadas por insuspeitos organismos internacionais. Como disse o próprio general Médici, em ato falho, ou num acesso imprevisto de sinceridade, embora a economia estivesse bem, o povo, ou pelo menos grande parte dele, ia mal.[9]

A propaganda oficial, porém, não se compadecia com contradições, anunciando periodicamente programas ou pacotes sociais, alardeando sucessos reais e fictícios.

Entre os sucessos reais que permaneceram no tempo, registram-se o Programa de Integração Social (PIS) e o Programa de Formação do Patrimônio do Servidor Público (Pasep), para trabalhadores de empresas privadas e públicas, e o Fundo de Assistência ao Trabalhador Rural (Funrural), estabelecendo salário mínimo e aposentadoria para as mulheres e os homens do campo. Os montantes destinados a esses programas, relativamente pequenos se comparados aos incentivos concedidos às grandes empresas, contribuíram, porém, sobretudo no interior do país, para irrigar as economias pouco dinâmicas das pequenas cidades e minorar a miséria extrema em que viviam muitas famílias. As áreas rurais também seriam contempladas com o Projeto Rondon, programa voluntário que, anualmente, levava estudantes universitários a diversas regiões para desenvolver, com apoio do Exército, tarefas de assistência social. Deslocaram-se milhares de pessoas ao longo de vários anos. Sua real amplitude e suas consequências, entre os assistidos e os que dele participaram, nunca foram estudadas.

O impacto social de tais programas e seu papel na neutralização de oposições à ditadura ainda carecem de pesquisas e melhor compreensão. O mesmo se pode dizer do crescimento dos sindicatos urbanos e rurais durante os anos da ditadura. Segundo dados do Instituto Brasileiro de Geografia e Estatística (IBGE), entre 1968 e 1978 o total de entidades sindicais nas cidades aumentou de 2.616 para 4.009, uma elevação de 65%. Proporcionalmente, a área rural não ficou atrás, ao contrário: a quantidade de sindicatos aí pulou de 625 para 1.669, um aumento de quase 200%.[10] Considerando as tradições do corporativismo estatal no Brasil, é possível presumir que boa parte dessas organizações tivesse reduzidíssimo papel social, mas, de qualquer forma, tais números impressionam, pois essa máquina burocrática envolvia milhares de pessoas, entre diretores, assessores e funcionários.

Nem todos os programas, porém, funcionavam a contento, pelo menos para olhares mais críticos. Simplesmente não engrenavam. O Programa de Integração Nacional (PIN), prevendo a construção de mais uma gigantesca rodovia, a Transamazônica (que ligaria o Norte e o Nordeste ao Peru e ao Equador), e a instalação, com ajuda governamental, de centenas de milhares de camponeses nordestinos sem-terra em agrovilas – a velha ideia de levar um "povo sem espaço" para um "espaço sem povo" –, apesar de ter mobilizado sonhos e ilusões, acabaria em fracasso e seria abandonado pelo governo seguinte. Em 1974, quando isso ocorreu, em vez da promessa inicial de 1 milhão de famílias instaladas ao longo do eixo rodoviário a ser construído, havia apenas cerca de 6 mil às margens de uma estrada que, pelo menos em boa parte do trajeto, continuava precária, levantando nuvens de poeira à passagem de caminhões e outros veículos. O faraônico projeto foi esquecido e até considerado inexistente, para amargura das gentes que ali se encontravam. No final das contas, investimentos e incentivos acabaram servindo aos negócios lucrativos de empresas agropecuárias.[11]

O mesmo aconteceu com o ambicioso projeto de erradicar o analfabetismo, o Movimento Brasileiro de Alfabetização

(Mobral), cuja meta era alfabetizar 8 milhões de adultos entre 1971 e 1974. Foi deixado de lado, anos mais tarde. Os supostamente alfabetizados pelo Mobral frequentemente não sabiam sequer assinar o nome.

Destinos semelhantes tiveram o Plano Nacional de Saúde (PNS), incapaz de tirar a saúde pública da indigência em que se encontrava, e a tentativa de estruturar um programa nacional de instrução cívica que orientasse as pessoas nos virtuosos caminhos da moral e dos bons costumes. Na terra de Macunaíma, era uma incongruência. Entretanto, foram criadas disciplinas em todos os níveis de ensino com esse objetivo. Mas a coisa não funcionou como devia, ou queria o governo, embora seja possível presumir que muitos hajam tentado incutir os valores conservadores que estavam em pauta. Em certos casos, porém, os cursos foram apropriados por professores de oposição que lhes conferiram sentidos inteiramente diferentes do que pretendia o regime, estimulando a crítica e a contestação à ordem vigente. Mas é impossível saber, por falta de pesquisas específicas, os reais efeitos de todo esse trabalho – gigantesco, porque realizado em escala nacional. É relevante registrar que o sistema só foi revogado na segunda metade dos anos 1980.

A franca preponderância da Arena e dos políticos ligados à ditadura nos interiores e nas cidades pequenas e médias não deve conduzir ao erro de avaliação, frequente, que estabelece polaridades entre um Brasil arcaico, favorável ao regime, e um Brasil moderno, partidário do progresso e da democracia. Mesmo porque a ditadura, suas agências e seus produtos transformavam-se em um dos mais poderosos fatores de modernização.

A verdade é que o "milagre", embora gerando desigualdades de todo tipo, sociais e regionais, foi capaz de beneficiar de modo substantivo diversos setores modernos. Consideráveis estratos das classes médias urbanizadas, por exemplo, com acesso ao crédito farto e fácil, puderam adquirir, em massa, a casa própria e o primeiro automóvel. Os funcionários públicos, principalmente de estatais, viveram também um período favorável, apoiados em uma série de planos assistenciais, como se, para eles, não tivessem desaparecido as tradições e as benesses típicas do corporativismo estatal, fundado nos anos do Estado Novo. Está ainda para ser feita uma análise acurada dos ganhos – materiais e simbólicos – registrados, entre outros, pelos funcionários do Banco Central, da Petrobras, da Vale do Rio Doce, do BNDE. Não se trata de dizer, simploriamente, que a ditadura os tenha "comprado". Longe disso. Embora não se possa subestimar o impacto da melhoria das condições de vida e de trabalho na neutralização do fervor oposicionista, é preciso incluir na avaliação os ganhos simbólicos, pois esses funcionários estavam envolvidos em instituições que desempenhavam um papel crucial na modernização do país, o que enchia de orgulho patriótico a sociedade e a eles mesmos. Nem todos, certamente, apreciavam a ditadura e seus métodos truculentos, considerados "excessivos", e muitos deles tomariam parte, em momentos seguintes, da onda oposicionista que varreria as metrópoles. Mas é provável que considerassem uma exigência alta demais arriscar suas posições num enfrentamento de vida ou morte com o regime, como queriam as esquerdas radicais.

Nas universidades, os anos 1970 também assinalaram notáveis progressos, com a disseminação vigorosa da pesquisa científica e da formação de cursos de pós-graduação. Vultosas verbas passaram a ser direcionadas pelas agências específicas – Conselho Nacional de Desenvolvimento Científico e Tecnológico (CNPq), Coordenação de Aperfeiçoamento de Pessoal de Nível Superior (Capes) e Financiadora de Estudos e Projetos (Finep) – aos setores mais qualificados ou que aspiravam a essa condição. Foram lançadas bases firmes de uma burocracia e de um sistema de pós-graduação sofisticado, atendendo a demandas há tempos aneladas e a um imperativo da modernização do país. Em nome disso, e mais de uma vez, se imporia a necessidade de "sacrificar" colegas e amigos, em prol dos superiores interesses das instituições e dos projetos de pesquisa em curso.[12] No contexto da América Latina, e mesmo no conjunto do que então se chamava "terceiro mundo", o sistema universitário brasileiro começou a surgir como particularmente dinâmico e produtivo. Estudo recente, e pioneiro, evidenciou como foram complexas as relações que se estabeleceram, então, entre o regime ditatorial e o *establishment* acadêmico.[13]

O alcance da política ditatorial modernizante não ignorou as camadas populares. Já foram citados os dados referentes à ampliação considerável das burocracias sindicais – urbanas e rurais – e à extensão ao mundo rural de aspectos importantes da legislação trabalhista, e mencionada a celebração do regime por parte dos cantores e compositores de música sertaneja. Ora, na primeira metade dos anos 1970, e mesmo depois, até o surgimento da onda de manifestações operárias, a partir de 1978, destacou-se a moderação com que as lideranças sindicais lidavam com a ditadura. A tentação – prevalecente – de atribuir o silêncio das classes trabalhadoras exclusivamente à repressão policial não deve descartar a hipótese, a ser verificada, de até que ponto importantes setores de trabalhadores autônomos e de operários qualificados, sobretudo os empregados em empresas de capital internacional, não se beneficiaram de condições particulares, propiciadas pelo desenvolvimento econômico, e de modo nenhum extensivas a toda a sociedade. Aqui também não se trata de dizer que os trabalhadores "aburguesaram-se", mas de compreender melhor as motivações e os interesses em jogo.

Havia, é claro, enormes sombras na paisagem que os holofotes da publicidade do regime não conseguiam esconder. Setores, categorias e regiões estavam pagando um preço altíssimo pela modernização do país. Entre eles, os pequenos posseiros e proprietários que perderam sua parca terra no processo acelerado de concentração fundiária e viraram desterrados no próprio país – os boias-frias. As nações indígenas, escorraçadas e exterminadas nas vastas regiões do Norte e do Centro-Oeste. Os trabalhadores sem qualificação adaptável à sede de lucro dos capitais, que ficavam à margem, desabrigados e desprotegidos no ambiente cada vez mais esgarçado de um tecido social cujas redes tradicionais de proteção se desintegravam. No quadro regional também se aprofundaram brutalmente as desigualdades, já que a modernização em curso era particularmente concentradora e centralizadora, o que se evidencia no estudo das migrações, no inchamento descontrolado das cidades e na revolução demográfica que concentrou em poucos anos processos que haviam se estendido por décadas em outras sociedades.[14]

Constituíram-se, assim, vastos contingentes, perdidos, sem eira nem beira, equivocadamente considerados "excluídos", porque eram legítimo produto do sistema e, como tal, estavam nele incluidíssimos, embora aparecessem como descartáveis, supérfluos.[15]

Havia sombras naquelas luzes, mas também luzes naquelas sombras.

Entre as luzes, é preciso considerar que havia um processo não mensurável em réguas ou números, o da integração do país pelas redes de televisão, principalmente pela Rede Globo. Aí passou a estar o lazer fundamental das massas. A novidade da televisão em cores. O mundo das novelas. E o das variedades e o do telejornalismo. Essa teia conseguiu estabelecer uma notável interlocução com a sociedade, confortando, entretendo, divertindo, integrando, embalando, anestesiando, estimulando, modernizando.

A primeira metade dos anos 1970, considerados *anos de chumbo*, tende a ficar pesada como o metal da metáfora, carregando para as profundezas do silêncio a memória nacional. Esses anos precisam ser revisitados, pois foram também *anos de ouro*, descortinando horizontes, abrindo fronteiras, geográficas e econômicas, movendo as pessoas em todas as direções da rosa dos ventos, para cima e para baixo nas escalas sociais, anos obscuros para quem descia, mas cintilantes para os que ascendiam. Naquelas areias movediças, havia os que afundavam e os que emergiam, surgidos de todos os lados, desenraizados, em busca de referências, querendo aderir. Anos carregados de terror e medo, porém prenhes de fantasias esfuziantes, transmitidas pela televisão, em cores, alucinados anos, com seus magníficos desfiles carnavalescos e tigres e tigresas de toda sorte dançando ao som de frenéticos *dancin' days*.

É certo que se formou no país uma pirâmide social cheia de distorções, em que a concentração de riqueza e de poder chamava a atenção do observador mais desatento. Desigualdades entranhadas, agora extremadas, e a tal ponto que vigoram ainda hoje, quase cinquenta anos depois, apesar dos progressos registrados no processo de distribuição de renda.

Mas a análise dos dados já então mostrava a constituição de uma estrutura complexa, de forma nenhuma redutível à polaridade simplificada de um topo minúsculo e milionário e uma base imensa e miserável. Sem dúvida, o topo, já enriquecido, enriqueceu-se ainda mais. E setores miseráveis da base mais miseráveis se tornaram. Contudo, entre esses extremos, havia camadas de amortecimento, e a sua existência conferiu saúde, estabilidade e vigor àquele corpo, cuja cabeça já estava – e ainda está – nas ricas avenidas de Miami, enquanto os pés chafurdam nos miseráveis casebres das favelas.

5. O governo Geisel e os planos de uma nova institucionalização da ditadura (1974-1979)

Em 1974, teve início o último governo da ditadura, chefiado pelo general Ernesto Geisel. Designado e ungido em junho do ano anterior pelo general Médici, através de uma *escolha solitária*, Geisel foi "eleito" em 15 de janeiro pelo Congresso Nacional e tomou posse em 15 de março.

O MDB, porém, dessa vez resolveu oferecer uma alternativa, mesmo considerando a causa perdida, já que a Arena tinha maioria folgada e o voto era público e nominal. Meses antes lançou uma chapa formada por Ulysses Guimarães, para presidente da República, e Barbosa Lima Sobrinho, para vice. O primeiro, proveniente da ala conservadora do PSD, fora líder das Marchas da Família com Deus pela Liberdade e apoiara ativamente o golpe. Todavia, depois, faria parte dos que cedo se desencantaram com a truculência da ditadura e com a decisão de estendê-la de modo indefinido. O segundo, jornalista centrista, era respeitado nos meios progressistas e de esquerda por sua defesa da liberdade de imprensa e das teses nacional-estatistas. Dois líderes moderados. Apresentaram-se como "anticandidatos". No entanto, surpreendendo os governistas e a população, saíram pelo país fazendo comícios e reuniões, pregando o restabelecimento dos valores democráticos. O impacto real dessa campanha ainda está para ser avaliado: foi um primeiro sinal da disposição oposicionista. Os mais conservadores irritaram-se, no entanto tiveram que engolir as anticandidaturas. Já outros consideravam que a disputa proporcionava argumentos em favor da tese de que no Brasil se vivia num regime democrático.

Eleito, Geisel e seu governo teriam de se haver com uma conjuntura internacional distinta – e desfavorável.

Nova conjuntura – novos desafios

Em 1971, os Estados Unidos já tinham abandonado o padrão-ouro e virado a mesa do pacto de Bretton Woods, firmado em fins da Segunda Guerra Mundial. Esse acordo assegurara um quadro de relativa estabilidade para a retomada da prosperidade dos grandes países capitalistas nos anos 1950 e 1960, período que o historiador Eric Hobsbawm chamou de os *trinta anos gloriosos*.[1]

Com o sistema monetário subvertido no contexto de uma nova guerra árabe-israelense, em outubro de 1973 os países árabes produtores de petróleo resolveram elevar abruptamente os preços da matéria-prima para pressionar as potências ocidentais a obrigar Israel a um recuo em suas pretensões de expansão territorial. Foi o *primeiro choque do petróleo.* Entre outubro e dezembro, o preço do barril pulou de US$ 2,90 para US$ 11,65.[2] Deu resultado. Israel retrocedeu para posições consideradas razoáveis e os países produtores de petróleo, mais as grandes companhias petrolíferas, encheram as arcas com dezenas de bilhões de dólares.

As consequências para o Brasil, ainda muito dependente das importações petrolíferas, foram desastrosas. A economia parecia um asmático com falta de ar. Nesse quadro, o mercado internacional entrou em fase de turbulência. Envolvidos em processos de recessão, os principais países capitalistas retraíram-se, protegendo-se uns dos outros, exatamente o oposto do que ocorrera entre 1967 e 1973.

Nessa conjuntura adversa, a ditadura brasileira preferiu uma política de *fuga para a frente*. Subestimou os obstáculos e lançou, em setembro de 1974, o II Plano Nacional de Desenvolvimento (II PND), com a meta ambiciosa de completar o processo esboçado nos anos Médici, que formulara o I PND em 1971. O país era imaginado como uma ilha de prosperidade, de tranquilidade e de paz num mundo marcado por crises e convulsões. Havia que se caminhar para a frente. Fechar o ciclo iniciado nos anos 1930 e conquistar a autonomia, com o Estado e as empresas estatais como fatores propulsores de um desenvolvimento econômico que haveria de se dar segundo os *interesses nacionais*. O caráter nacional-estatista do I e do II PNDs e suas perspectivas autonomistas enterravam de vez o liberalismo-internacionalista de Castello Branco e, de quebra, derrubavam as previsões catastróficas da *utopia do impasse*, assim como a crítica esquerdista da ditadura como "entreguista".[3]

Em relação ao mundo intelectual e artístico, o governo também deu sequência às diretivas formuladas pelo governo Médici, mantendo uma ambiciosa política de estímulo aos programas de pós-graduação tendo em vista o desenvolvimento científico-tecnológico. Além disso, ativou, em vários níveis, agências estatais de incentivo e apoio à cultura nacional, como a Empresa Brasileira de Filmes Sociedade Anônima (Embrafilme), a Fundação Nacional de Artes (Funarte) e o Serviço Nacional de Teatro (SNT).

A Rede Globo, principal beneficiária das políticas dos vários governos ditatoriais em matéria de telecomunicações, trabalhava em faixa própria com as novelas e os programas jornalísticos, estabelecendo conexões que atraíam inúmeros intelectuais, inclusive de esquerda. Firmou-se ali um pacto não escrito a favor da modernização – não só da economia, mas também dos costumes e dos valores éticos e morais. Tratava-se de vencer o conservadorismo arcaizante e apoiar, sempre com moderação, com atenção a eventuais e possíveis retrocessos, as políticas do governo, o que não impediria algumas fricções e embates. Mesmo porque, como já se disse, a ditadura nunca foi una, e sim vária, e havia setores no Estado que não viam com bons olhos – é o menos que se pode dizer – as políticas empreendidas por Geisel e as "aberturas" da Rede Globo em matéria comportamental.

Naquela atmosfera de mudanças, o Brasil surgia para alguns como uma *potência emergente*. Para outros, mais otimistas, como uma grande potência, o oitavo produto nacional do mundo, como então se dizia nos círculos do poder, na mídia e nos botequins.

Os mais pessimistas ou mais críticos afirmavam que aquilo não poderia durar. Entretanto, enquanto durou, assistiu-se à incorporação, pela ditadura, de aspectos essenciais do programa nacional-estatista. O general Geisel, embora considerado integrante do chamado *grupo castelista*, dele não parecia ter herdado nenhum vestígio do que fora a perspectiva liberal-internacionalista, principalmente no que se referia à política econômica, mas também em outras e variadas dimensões.

Na política externa, por exemplo, e consoante as tradições nacional-estatistas, o novo governo começou a vibrar acordes autonomistas. A orientação retomava, e ampliava, o que fizera o governo anterior, quando afirmara unilateralmente a extensão da soberania brasileira às duzentas milhas da costa, algo que nas relações internacionais ainda estava sujeito a controvérsias políticas e jurídicas.

Num primeiro momento, em agosto de 1974, ocorreu o restabelecimento das relações diplomáticas com a China comunista. Seguiu-se a aproximação explícita com a Comunidade Europeia, marcada pela assinatura de um acordo nuclear com a Alemanha Federal, em junho de 1975 – o que desagradou ao governo do Grande Irmão e parceiro do Norte –, e, no ano seguinte, pelas visitas de Geisel à França e à Inglaterra (abril e maio de 1976). Para completar, a denúncia do acordo militar com os Estados Unidos, em março de 1977. Firmado em 1952, já envelhecera e quase não tinha importância prática. Mas a maneira brusca como a decisão foi tomada, em represália a alegadas pressões do governo dos Estados Unidos em prol da liberalização democrática no país, alargou a área de fricção pelo seu caráter simbólico.

Num outro segmento, esboçando os contornos de uma outra política para a África, houve, em novembro de 1975, o reconhecimento imediato e pioneiro da independência de Angola, apesar das inclinações esquerdistas do partido governante, o Movimento Popular de Libertação de Angola (MPLA). O reconhecimento também surpreendeu pelo fato de haver no país uma guerra civil desde maio, desencadeada por forças políticas rivais, apoiadas pelos Estados Unidos e pela China, hostis à forma como o MPLA, aliado a Cuba, conduzia as coisas no país. Como se não bastasse, uma outra inovação: na assembleia-geral da Organização das Nações Unidas (ONU), o

Brasil, distanciando-se das posições tradicionais, votaria com a maioria pela condenação do sionismo como forma de racismo.

Pragmatismo responsável, alinhamento não automático, fosse como fosse chamada, a política externa, determinada por Geisel e conduzida pelo ministro das Relações Exteriores, Antonio Francisco Azeredo da Silveira, distanciava-se de tudo o que preconizara Castello Branco, fazendo recordar os velhos tempos de Vargas, Jânio e Jango.

A proposta de uma distensão lenta, gradativa e segura

Já no plano político, haveria afinidades com os propósitos do primeiro governo castelista, materializadas na perspectiva de restabelecer um estado de direito autoritário. Tratava-se de institucionalizar e superar o estado de exceção, o regime ditatorial vigente. Como se viu, Castello dedicou-se a isso nos últimos meses de seu governo, fazendo aprovar uma Constituição que viabilizava um Estado autoritário, mas num quadro jurídico definido, sem ditadura. Tais propósitos careceram de legitimidade e credibilidade e acabaram detonados com a edição do AI-5. Em fins do governo Médici, considerando a atmosfera de otimismo, o quadro de prosperidade alcançada e as altas taxas de popularidade do general, não faltou quem propusesse a sua reeleição e, sob sua condução, o restabelecimento da democracia no país. Tais propostas, no entanto, não prosperaram e não convenceram os ouvidos do general-presidente.

Agora, o governo Geisel retomaria o mesmo objetivo, a ser atingido através de uma *distensão*. Em termos militares, uma retirada, ou seja, uma das operações mais complicadas e delicadas. Qualquer descuido, como se sabe, e a retirada viraria debandada. Era necessário o maior cuidado para que as coisas se passassem em ordem e em paz. Daí porque a distensão deveria ser, conforme Geisel anunciou em agosto de 1974, *lenta, gradativa e segura*. Lenta, sem pressa, devagar; gradativa, por etapas, de modo que se pudesse avaliar, a cada momento, o caminho percorrido, as novas circunstâncias, os objetivos alcançados e os desafios a serem enfrentados; e segura, sob controle, com a máxima segurança possível. Para executar o empreendimento, Geisel contaria com a ajuda do general Golbery do Couto e Silva, designado para chefiar sua Casa Civil, então o centro e a sede das manobras políticas governamentais. Golbery, afamado por sua capacidade de trabalho e de planejamento, fora um dos principais articuladores e dirigentes do Ipês e também criador e fundador do SNI. Depois, no entanto, a partir do governo Costa e Silva, afastado e marginalizado dos negócios públicos, imergira na vida privada e nas conversações subterrâneas. Voltava agora como braço direito e principal auxiliar de Geisel para empreender, depois de Castello Branco, a segunda tentativa de superar a ditadura.[4] Além deles, no núcleo mais importante do poder e também originários do castelismo, outros desempenhariam importante papel: João Baptista Figueiredo, na chefia do SNI; e Heitor Aquino Ferreira, na secretaria particular do presidente.

Entretanto, é claro que não estavam a sós na empreitada a que se propunham. Líderes civis os apoiavam, como Paulo Egydio Martins, Aureliano Chaves e Sinval Guazzelli, que, em seguida, seriam eleitos governadores, respectivamente, em São Paulo, Minas Gerais e Rio Grande do Sul. Eram governadores "indiretos", sem dúvida, mas, nas circunstâncias, detinham especial poder de articulação e cultivavam ambições políticas maiores para quando – e se – fosse recomposto um estado de direito. O projeto de distensão, a rigor, embora fosse percebido com inquietação por setores mais conservadores, contava com o apoio da maior parte da impropriamente chamada *classe política*, com os moderados de todos os bordos, inclusive, é claro, os da oposição, e da maioria da população dos centros urbanos, inquieta com os primeiros sinais de crise do "milagre econômico" e insatisfeita com os *excessos* do aparelho de segurança.

O projeto podia ainda contar com a simpatia dos aliados europeus, cada vez mais constrangidos por manter relações com um regime que tinha a tortura como política de Estado. A Revolução dos Cravos em Portugal, pondo fim a uma longa ditadura, em abril de 1974, não deixava de ser um estímulo. Cantava ironicamente Chico Buarque: E se o Brasil se tornasse "um imenso Portugal"? O processo, no entanto, não era linear, pois o triunfo da ditadura no Chile, em setembro de 1973, e as turbulências na Argentina, mesmo com o retorno de Perón, não permitiam previsões a curto prazo de um avanço seguro da democracia no Cone Sul. Como se verificou, morto Perón, o país vizinho encaminhou-se para uma nova ditadura, decretada em março de 1976, e que se caracterizaria pela brutalidade com que passou a tratar os inimigos.

Sinais favoráveis aos valores democráticos viriam dos Estados Unidos. A partir de novembro de 1976, com a eleição de Jimmy Carter, do Partido Democrata, o governo estadunidense reforçou tendências críticas às ditaduras latino-americanas. Mas os "conselhos" e "advertências" de Carter, na medida mesma em que agradavam às oposições moderadas, seriam recebidos com irritação crescente pelo regime brasileiro e por Geisel, que não aceitavam a posição de "maus alunos" numa escola que deveria restabelecer a democracia para agradar ao Grande Irmão do Norte, que, nos anos anteriores, havia respaldado todo tipo de ditadura ao sul do Rio Grande. É nesse quadro que se pode compreender o rompimento do acordo militar, anteriormente referido.

A distensão: contradições e resistências

O processo desenvolvido pelo governo também enfrentou outras resistências, mais importantes.

No interior do bloco que sustentava a ditadura, forças conservadoras e sua expressão mais radical, os aparelhos de segurança, não viam com bons olhos a distensão e se prepararam para combatê-la. Seu prestígio e poder derivavam do enfrentamento aberto com as esquerdas radicais, liquidadas em meados de 1973, com a extinção do foco do Araguaia, ainda que o último guerrilheiro fosse abatido apenas no final do ano seguinte. A derrota da luta armada suscitaria agora uma nova questão: o que fazer dos aparelhos criados para combater as esquerdas em armas? A "guerra" em que se supunham envolvidos terminara. O restabelecimento do estado de direito, por mais autoritário que fosse, tenderia a enfraquecê-los. Por isso cedo se oporiam de todas as maneiras à progressão do projeto do governo, configurando-o como uma "traição" aos ideais "revolucionários" e hostilizando, cada vez mais abertamente, seus líderes – Geisel e Golbery.

Partidários de que o regime tivesse duração indeterminada, eram a tropa de choque da ditadura, chamados, eufemisticamente, de *bolsões sinceros, mas radicais*. Ali se reuniam animais de vários tipos. Havia os oficiais treinados nos sofisticados serviços de inteligência e contrainformação, que se dedicavam a ler e analisar textos políticos e organogramas de organizações clandestinas e a dar instruções que viabilizassem a tortura como método de coleta de informações. Esses homens trabalhavam em salas climatizadas e não se misturavam ao trabalho sujo e degradante da tortura, embora o sucesso desta dependesse deles. Eram peças da engrenagem, homens normais naquele sentido em que Hannah Arendt falou da *banalidade* e da *normalidade* do Mal.[5] E havia também facínoras de todo tipo, sem falar nos bate-paus obtusos e nos que se haviam corrompido nos submundos do crime e da contravenção, protegidos pela impunidade porque eram *homens do sistema*. Não estavam isolados, porém, porque sua existência sempre dependeu de oficiais-generais que os "representavam" nas alturas do Estado.

Nas pesquisas realizadas sobre os aparelhos de repressão, está mais do que demonstrada a ligação direta – e a simbiose – entre os "órgãos" de informação e os ministros de Estado, em contato direto com a Presidência da República. Carecem de sentido, e de evidências, as suposições de que os aparelhos de segurança funcionassem de modo autônomo, sem controle ou respeito pela linha de comando. É nesse preciso sentido que se pode falar da tortura como "política de Estado". No caso do governo Geisel, o próprio ministro do Exército, general Sylvio Frota, nomeado em maio de 1974, sempre exprimiu e deu cobertura às ações e aos desmandos dos DOI-Codis até sua demissão, em 1977.[6] Mas havia ali tensões provocadas por uma política que poderia desestabilizar e, no limite, pôr a pique os "ideais da Revolução". Assim, contradições continuariam a se manifestar por longos anos, até inícios dos anos 1980.

No outro extremo, os remanescentes das esquerdas revolucionárias. Estavam dispersos, nas cadeias, nos exílios sem fim, ou meio perdidos no país, nas margens, mas incomodavam, especialmente no exterior, com campanhas permanentes de denúncias da ditadura, de seu modelo econômico, concentrador e produtor de desigualdades sociais crescentes, e da tortura como política de Estado, o que desgastava o governo brasileiro perante a opinião pública liberal e democrática internacional, na Europa e nos Estados Unidos. Essas esquerdas, em sua maioria, já haviam abandonado a perspectiva do enfrentamento armado, ou por terem mudado de convicções ou porque ficara evidente que a estratégia não encontrava respaldo na sociedade. Mantinham pequena influência na mídia, nos meios acadêmicos, na intelectualidade em geral e, um pouco mais tarde, participariam nos comitês de anistia e nos jornais alternativos, então chamados de *imprensa nanica*. Constituiriam nesse âmbito uma ala "de esquerda", exigindo contas, reclamando a dissolução dos aparelhos repressivos e defendendo uma anistia ampla, geral e irrestrita. Embora lhes faltassem forças, ainda sobravam coragem, energia e ousadia.

Entre esses polos opostos, minoritários, situavam-se os setores das oposições moderadas. Eles se agrupavam sob a legenda do MDB e sob a proteção da Igreja católica, transformados ambos, o partido e a Igreja, principalmente a partir de fins de 1973 e início de 1974, em guarda-chuvas que abrigavam, sem distinções e discriminações, os que se opunham à ditadura e estavam dispostos a lutar contra ela explorando as brechas legais, mesmo que restritas.

As oposições moderadas, incluindo-se aí o PCB, na clandestinidade, haviam se tornado quase invisíveis nos meses seguintes à decretação do AI-5, no meio do tiroteio entre a polícia política e as esquerdas revolucionárias. Sua invisibilidade, contudo, não significava que não existissem mais. Apenas esperavam, de acordo com sua natureza e objetivos, melhores momentos. Depois da derrota completa da proposta de luta armada contra o regime, e já no contexto da distensão, recobrariam força.

Os homens do poder sabiam que seu projeto enfrentaria um primeiro teste importante nas eleições previstas para 1974. A distensão, para ganhar fôlego, precisava adquirir respaldo e consistência política. Em 3 de outubro, estavam previstas eleições indiretas para governadores. As coisas aí estavam tranquilas, dada a maioria da Arena nos colégios eleitorais definidos: as assembleias legislativas. De fato, tudo ocorreu como previsto e todos os governos foram ganhos por aliados do governo. Mesmo no Rio de Janeiro, único estado em que a oposição elegera um governador, em 1970, um homem de confiança do presidente passara a governar, pois a fusão decretada pela ditadura, em 1974, entre o então estado da Guanabara e o "velho" estado do Rio de Janeiro, cuja capital era Niterói, previu que o primeiro governador seria nomeado pelo poder central. Assim, todos os 22 estados então existentes, a partir de março de 1975, quando seus governadores tomaram posse, seriam aliados do governo. Um poderoso dispositivo.

Uma situação igualmente tranquila, mesmo que em ponto menor, era esperada para o pleito de novembro na renovação do Congresso Nacional e das assembleias legislativas nos estados. O governo confiava na história política recente. Em 1966, nas primeiras eleições regidas pelo bipartidarismo imposto, a Arena teve 50,5% dos votos, contra apenas 28,4% do MDB (21% de votos brancos e nulos). Nas seguintes, em 1970, houve um ligeiro retrocesso, mas no contexto de uma nova vitória: 48,4% contra 21,3%. A Arena tinha quase o triplo de deputados do MDB (223 × 87). Diante de tão magro resultado, houve lideranças emedebistas que chegaram a cogitar da autodissolução do partido, só que a proposta não prosperou. Por outro lado, é verdade que os votos nulos e brancos tinham registrado, em 1970, um crescimento exponencial, alcançando 30,3%, quase um terço do total. Contudo, o dado, atribuído a causas diversas, não impressionara e não fora analisado como uma manifestação de desagrado ou de protesto. Finalmente, dois anos antes, nas eleições municipais de 1972, outro sucesso: a Arena passou a controlar 91% das prefeituras. Foi com esse sólido passado de vitórias na cabeça que os líderes do governo esperaram, confiantes, o pleito de novembro de 1974.

É verdade que informações de última hora dos serviços de informação apontavam derrotas nas cidades principais.[7] Mas aí não havia tempo para mudar o rumo das coisas.

Quando as urnas se abriram, constatou-se que não houvera um simples revés, e sim um terremoto político. Uma primeira falha – grave – no planejamento. A partir daquelas eleições, ficou evidente que o governo teria dificuldades imprevistas para alcançar o apoio considerado indispensável à consecução de seus propósitos.

A distensão surpreendida: a derrota de novembro de 1974

A derrota foi uma catástrofe para o governo e para o seu partido.

Nas eleições para o Senado Federal, que adquiriram um caráter majoritário, pois havia apenas uma cadeira em disputa em cada estado, o MDB ganhou em dezesseis das 22 disputas realizadas. Venceu em todos os estados mais importantes, os mais dinâmicos e de maior população: São Paulo, Minas Gerais, Guanabara, Rio Grande do Sul, Paraná, Santa Catarina, Pernambuco e Rio de Janeiro. E ainda no Ceará e em Goiás. De quebra, o Espírito Santo, o Acre, a Paraíba, o Rio Grande do Norte, Sergipe e Amazonas. O partido do governo conseguiu ganhar em apenas um estado de certa expressão: a Bahia. De resto, só estados de menor peso: Mato Grosso, Maranhão, Piauí, Pará e Alagoas.

Em São Paulo, estado mais rico e populoso da federação, ocorreu um episódio típico daquele pleito: um candidato sem raízes nem tradições na política paulista, quase desconhecido, Orestes Quércia, arrebanhou cerca de 4 milhões de votos, mais do que o dobro do arenista Carvalho Pinto, ex-governador de São Paulo, considerado um autêntico varão de Plutarco, homem "culto e honesto", com fama de bom administrador e de ser bom de voto. Pois não alcançou nem metade dos votos de Quércia.

Uma vertigem.

Em outros estados, fenômenos análogos se repetiram. Como a escolha do anônimo Agenor Maria, no Rio Grande do Norte. Candidatos menos conhecidos, "destinados a perder", como Itamar Franco, em Minas Gerais, ou Roberto Saturnino, no estado do Rio de Janeiro, ganhavam em toda a linha. É que, acompanhando experimentados analistas, as velhas raposas do MDB, ao se imaginarem derrotadas por antecipação, evitaram os pleitos majoritários, preferindo reeleições tranquilas como parlamentares. Por outro lado, "puxadas" pelos candidatos majoritários, as bancadas do MDB nas assembleias legislativas também cresceram, tendo sido eleitos 355 deputados estaduais.

A surpresa foi geral.

Pela primeira vez, nos quase dez anos do novo regime, a oposição beneficiou-se do caráter plebiscitário que as eleições tendem a revestir numa situação de bipartidarismo. Podia-se constatar, não raro, que votos tinham sido dados mais *contra* o governo do que a *favor* da oposição. Nem por isso eram menos contados para o partido oposicionista. O MDB teve mais de 70% dos votos nos grandes centros, e sua bancada de deputados pulou de 87 para 160 deputados. É verdade que a Arena fora vencedora no cômputo geral, registrando 11,9 milhões de votos contra 11 milhões do MDB (40,9% contra 37,8%, e 21,3% de votos brancos e nulos), e que o MDB permanecia minoritário no Congresso Nacional (203 × 161 deputados). Entretanto, a oposição já tinha força para convocar ministros, para formar Comissões Parlamentares de Inquérito (CPIs) e, o que era mais importante, barrar, se fosse o caso, eventuais reformas constitucionais, que exigiam dois terços dos votos.

A oposição legal, nove anos depois da instauração do bipartidarismo, passara a ter voz na cena política, e suas concepções sobre a distensão, seu sentido e ritmos, não eram as mesmas do governo presidido por Geisel. O clima de euforia nas cidades, principalmente São Paulo, Rio de Janeiro e Brasília, não atingia apenas as camadas populares, que mais estavam sofrendo com a defasagem entre os índices de inflação e os que regiam os reajustes salariais. Alcançava também as classes médias e setores do próprio empresariado, dando conta de uma importante migração de votos para a oposição emedebista. Uma viragem. Um dos mais importantes dirigentes do PCB, na clandestinidade, registraria o processo e se empolgaria com ele, talvez mais do que o devido, mas é que era difícil escapar da conclusão que se impunha: a ditadura sofrera sua primeira grande derrota político-eleitoral desde o golpe de 1964.[8]

Assim, a partir de novembro de 1974, o projeto de institucionalização da ditadura teria que se haver com vozes dissonantes, à direita e à esquerda. Não gratuitamente registraram-se ziguezagues, oscilações, avanços e recuos.

Ora Geisel aparentava dar força aos órgãos da repressão – quando deu luz verde ao massacre do comitê central do PCB, entre 1974 e 1975, mesmo que esse partido não representasse ameaça imediata à ordem vigente, tendo mantido sempre críticas claras às ações armadas e às concepções foquistas. Houve então a prisão, seguida de tortura e desaparecimento, de dez dirigentes do PCB. O mesmo aconteceria com o PC do B em dezembro de 1976, quando remanescentes de seu comitê central, podendo ser presos, foram assassinados no bairro da Lapa, em São Paulo, no episódio conhecido como "massacre da Lapa". Já em outubro de 1975, outro assassinato, do jornalista Vladimir Herzog, no âmbito do II Exército, em São Paulo, suscitou comoção, greves universitárias e movimentos de protesto público, como a missa ecumênica na Catedral da Sé, em São Paulo. Desde 1968, era a primeira vez que movimentos sociais de certa envergadura voltavam às ruas. Mesmo antes disso, em outros episódios, como nas gestões para a elucidação de casos de "desaparecimentos", surgiram tensões entre os partidários da permanência indefinida do regime ditatorial, encabeçados cada vez mais pelo general Sylvio Frota, e a liderança de Geisel, que almejava a reinstauração de um estado de direito, embora recorrendo eventualmente a medidas de força, que permitissem a prevalência de suas concepções.

Assim, para conter a avalanche de votos do MDB, como se verificara em novembro de 1974, o governo fez aprovar uma lei que restringia drasticamente o direito de propaganda eleitoral, veiculada no horário gratuito pelas redes de comunicação de rádio e televisão. Foi a Lei Falcão, do nome do ministro da Justiça de Geisel, Armando Falcão. Segundo seus termos, os partidos só poderiam divulgar os nomes dos candidatos, com o respectivo currículo, acompanhado de fotografia. Fechava-se, assim, um poderoso instrumento das oposições para divulgar ideias e candidatos. Os resultados positivos para a ditadura apareceram nas eleições seguintes, para prefeitos e vereadores, em fins de 1976. A Arena elegeu 3.176 prefeitos contra apenas 614 do MDB. Onde houve disputa, o partido do governo ganhou em 2.079 municípios e perdeu em 499. Tais números absolutos, contudo, não eram, a rigor, muito convincentes porque, em comparação com 1974, a Arena decaiu – de 11,9 milhões para 11,6 milhões. Ganhara as eleições, porém perdera 300 mil votos. O MDB caiu ainda mais, de 11 milhões para 9 milhões, mas sempre podia atribuir essa baixa, com certa razão, aos rigores da Lei Falcão e ao fato, notório, de que as eleições municipais tendiam mesmo a ser menos politizadas, suscitando debates voltados para a solução de problemas locais. Para o governo, o único dado positivo, relevante, é que a sangria desatada de votos fora contida.

Numa outra manobra, foi necessário neutralizar a autonomia dos órgãos da polícia política. O assassinato do metalúrgico Manoel Fiel Filho pelos homens do DOI, em janeiro de 1976, na jurisdição do II Exército, em São Paulo, comandado pelo general Ednardo D'Ávila Mello, foi encarado como provocação. Apesar de aconselhado em sentido contrário, Geisel o demitiu, nomeando para o cargo um homem de sua confiança, Dilermando Gomes Monteiro. O recado era claro: para continuar matando, a polícia política precisaria de autorização explícita do presidente da República.

As pressões contra a distensão, porém, não diminuíam. Ora sob a forma de panfletos anônimos que circulavam em meios civis e militares, ora sob a forma de ações armadas: atentados a bomba à OAB e à ABI, em agosto de 1976, e ao Centro Brasileiro de Análise e Planejamento (Cebrap), em setembro do mesmo ano. Também em setembro, um grupo armado de direita sequestrou o bispo de Nova Iguaçu, município da Região Metropolitana do Rio de Janeiro, d. Adriano Hypólito, deixando-o mais tarde sem roupa num matagal, com o corpo pintado de vermelho. Em seguida, fez explodir o seu carro na frente da CNBB.

É preciso também referir as mortes de grandes líderes civis do período anterior ao golpe de 1964. Juscelino Kubitschek, em acidente na via Dutra, morreu em agosto de 1976. Meses depois, em dezembro, foi a vez de João Goulart, vitimado por um suposto ataque cardíaco, no exílio, em Buenos Aires. Finalmente, em maio de 1977, faleceu Carlos Lacerda, que morava em Teresópolis (RJ). Os três haviam protagonizado, como se viu, a formação da Frente Ampla e dispunham ainda de prestígio e popularidade, visíveis nos enterros de Jango e de JK, acompanhados de forte comoção popular. O fato de que, em menos de um ano, os três tenham desaparecido, embora, aparentemente, com boa saúde, suscitou então, e suscita até hoje, suspeitas de que suas mortes tenham sido tramadas pelos órgãos da repressão. Sem dúvida, o desaparecimento deles, do ponto de vista do projeto Geisel-Golbery, melhorou os horizontes do processo de distensão. Mera coincidência, produzida pela mão invisível do Destino? Ou outras mãos, que poderiam tornar-se visíveis, teriam agido para produzir aquelas mortes? Até que os arquivos secretos das Forças Armadas sejam abertos e entregues à pesquisa, essas perguntas permanecerão sem respostas conclusivas.

O que mais ameaçava a distensão, contudo, eram as articulações encobertas ou ostensivas do ministro Sylvio Frota, que continuava trabalhando em faixa própria. Com parlamentares amigos, preparava sua candidatura à sucessão de Geisel. Pretendia repetir com este o que fizera Costa e Silva com Castello Branco, desafiando a vontade do general-presidente de fazer um sucessor de sua confiança. Desde abril de 1977, circulavam rumores, divulgados pela imprensa, de que a escolha de Geisel já fora feita e recaía na figura menos conhecida e algo sinistra do general João Baptista Figueiredo. Um homem do poder, mais precisamente, das sombras do poder. Uma nova escolha solitária? Como a do próprio Geisel por Médici? Seria o procedimento minimamente compatível com o restabelecimento do estado de direito?

Geisel, contudo, não queria apenas garantir um sucessor. Como Castello, tinha o objetivo de estruturar um quadro político e jurídico favorável, o que passava por uma série de reformas constitucionais, para que se conseguisse "ajustar" aspectos importantes da ordem vigente às necessidades de um sistema que, nos limites de um novo estado de direito, pudesse ainda manter o controle da situação. Como se dizia na época, ocorreria a institucionalização da ditadura, mas era preciso definir algumas "salvaguardas", para que a hipótese do "caos" não surgisse no horizonte.

Havia, no entanto, uma pedra naquele sapato: qualquer reforma constitucional carecia de dois terços dos votos no Senado e na Câmara. Ora, depois das eleições de 1974, como já mencionado, o MDB passou a dispor de mais de um terço dos deputados, ou seja, sem a concordância do partido de oposição qualquer tipo de reforma constitucional seria derrotada na Câmara dos Deputados, inviabilizando-se. As negociações entabuladas com a oposição não produziram resultados do agrado do governo. O tempo passava e nos arraiais da ditadura aquele impasse era apresentado pelos críticos de direita como uma confissão de fraqueza do governo.

Os contornos de um estado de direito autoritário: o "pacote de abril"

Geisel recorreu, então, como era do seu feitio, à "maneira forte".

Ele já tinha exercitado os poderes ditatoriais conferidos pelo AI-5 cassando, em 1976, mandatos de deputados em Rio de Janeiro, São Paulo e Rio Grande do Sul. Agora, concretizaria seus planos de reformas lançando mão dos mesmos métodos.

Criticando, sem sorrir, a "ditadura da minoria no Congresso", responsabilizou o MDB pelo fracasso das negociações, consideradas vitais para aprovar uma reforma constitucional, e passou à ofensiva, não sem antes sustentar que "não haveria liberdade para quem quer destruir a nação". Dissolveu o Congresso por duas semanas, entre 1º e 14 de abril de 1977, e editou, sob a proteção armada do AI-5, o chamado "pacote de abril". Um surto ditatorial para garantir a restauração democrática. Era muito típico para surpreender.

Na legislação definida pela força figuravam, entre outras medidas baixadas por decretos-leis, duas emendas constitucionais. Com a Emenda n.7, editada em 13 de abril, Geisel operou a pretendida reforma do Poder Judiciário, efetuando mudanças no Supremo Tribunal Federal (STF), no Tribunal Federal de Recursos (TFR), no Conselho Nacional da Magistratura, além de outras instituições, afetando tribunais e juízes militares, do trabalho, estaduais e eleitorais.

Houve, porém, uma segunda emenda, muito mais importante, a de n.8, editada no dia seguinte, 14 de abril, por meio da qual se operou uma profunda reforma política. Para manter o controle dos cargos executivos, determinou-se o retorno, em 1978, das eleições indiretas para governadores, ao contrário da lei vigente, que previa eleições diretas; a ampliação do mandato do presidente da República, a ser eleito pelo Congresso, também em 1978, de cinco para seis anos; e o restabelecimento das sublegendas, viabilizando composições problemáticas no partido oficial, a Arena.

Para controlar o Senado Federal, previu-se a eleição indireta, pelas assembleias legislativas e delegados das câmaras municipais, de um terço dos senadores. Em relação à Câmara dos Deputados, fixou-se o limite máximo de 420 deputados, estabelecendo-se que a Justiça Eleitoral definiria, nesses limites, e proporcionalmente, o número de deputados por cada estado, respeitando-se um teto máximo (55 deputados) e mínimo (seis), restando ainda, para os territórios, bancadas de dois representantes para cada. Esses procedimentos introduziram mudança capital, pois subdimensionavam a representação dos estados mais populosos e dinâmicos, onde o governo se enfraquecia, superdimensionando a dos estados menos populosos, onde ele mantinha força. É notável que os efeitos da manobra tenham durado no tempo, subsistindo, essencialmente, até os dias atuais. Decidiu-se, igualmente, reduzir o quórum para aprovação de reformas constitucionais – de dois terços para maioria absoluta (metade, mais um, dos votos); e estender a Lei Falcão às eleições estaduais e federais.

Houve ainda nas dobras daquele pacote, como se fora um aceno, dois brindes para os interesses populares: o reforço dos dispositivos de proteção aos inquilinos e a ampliação das férias anuais, de vinte para trinta dias, para os trabalhadores das empresas privadas.

Seria ocioso sublinhar o caráter casuístico das reformas, como fartamente comentado na época. Beneficiavam a Arena, oferecendo, no mesmo movimento, garantias de que a situação se manteria sob controle.

Às oposições restaram apenas a denúncia e a ironia, como a de apelidar os senadores eleitos indiretamente de "biônicos", uma alusão a um super-herói, Cyborg, o homem biônico, que estrelava a série televisiva de sucesso *O homem de seis milhões de dólares*.

Um último problema, no entanto, e ele era maior, carecia ainda de solução – a questão da candidatura "alternativa" do general Sylvio Frota. Apesar de todo o seu empenho, porém, as manobras de emparedamento de Geisel, empreendidas por Frota, não surtiram efeito. No enfrentamento entre o presidente e seu ministro, caiu este último, em outubro de 1977, demitido, depois de intensa "guerra da saliva". Apesar das bravatas que chegaram a ser formuladas, ele aceitou a derrota. Amargurado e se sentindo traído, recolheu-se à reserva, convertendo-se em mais um "general de pijama". No último dia do ano, Geisel jogou a pá de cal nos boatos sobre a sucessão presidencial, revelando publicamente o nome do general João Baptista Figueiredo como ungido por sua escolha pessoal.

Figueiredo era um homem habituado às altas esferas do poder, mas praticamente desconhecido da sociedade. Já fora chefe do SNI no governo Médici e chefe da Casa Militar no de Geisel. Um homem *secreto*, cujo prestígio era diretamente proporcional ao que não fizera. Não tendo feito, não acumulara desgastes. Agora, seria montada toda uma operação para torná-lo "simpático" e "palatável". Afinal, dele seria a responsabilidade de liderar a conclusão de um processo de transição extremamente complexo que tinha como objetivo o "aperfeiçoamento democrático" do país. Era duvidoso que fosse capaz disso, mas Geisel talvez tenha se socorrido no fato de que Golbery do Couto e Silva, o seu grande auxiliar, estaria lá, na chefia da Casa Civil, ao lado do novo presidente, constituindo um elo de continuidade entre os dois governos.

Em 1978, a situação parecia sob controle. Os processos eleitorais previstos para cargos executivos – as eleições indiretas para governadores (1º de setembro) e para presidente da República (15 de outubro) – não suscitariam surpresas. Apenas no novo estado do Rio de Janeiro, resultado da fusão com a Guanabara, o MDB conseguiu eleger um governador, Antônio de Pádua Chagas Freitas, mas ele sempre fora e continuaria sendo completamente inofensivo.

O candidato de Geisel, porém, como ele próprio em 1974, teve que se haver com outra candidatura alternativa do MDB, encabeçada pelo general Euler Bentes Monteiro, tendo como vice o senador liberal Paulo Brossard, ambos ex-apoiadores do regime. A chapa da oposição era expressiva da decantação das bases de sustentação da ditadura. Em certa medida, simbolizava, mais uma vez, a migração de forças conservadoras e de direita para posições favoráveis ao restabelecimento de um estado de direito e, no limite, para a restauração da democracia. Num colégio eleitoral formado por senadores, deputados federais e delegados das assembleias legislativas, Figueiredo, tendo como vice um político civil, Aureliano Chaves, governador de Minas Gerais, venceu por 355 × 266 votos. A oposição não era mais irrelevante.

Quanto às eleições para o Congresso Nacional e as assembleias legislativas, em 15 de novembro, o governo fez de tudo para garantir uma boa vitória. Dando no cravo, esperava ter a seu favor os casuísmos impostos pelo "pacote de abril". Dando na ferradura, fez aprovar em setembro, pelo Congresso Nacional, dois meses antes das eleições, um pacote de medidas liberalizantes: a revogação dos instrumentos de exceção, como o AI-5, a partir do primeiro dia do ano vindouro; o restabelecimento do *habeas corpus* e da autonomia do Poder Judiciário; a autorização para a volta de lideranças cassadas não comprometidas com ações subversivas; e a revogação da figura jurídica do banimento, inventada em 1969-70.[9] Havia ali uma incongruência, pois o Congresso era chamado a restabelecer medidas que não tinha introduzido, quer dizer, que tinham sido introduzidas contra a sua vontade. Mesmo assim, no contexto geral de restabelecimento da liberdade de imprensa, efetivado também em 1978, foram celebradas como um passo importante no processo de transição para a democracia.

Todas essas decisões, contudo, não geraram resultados significativos para o regime ditatorial. A Arena voltou a ganhar, entretanto sua maioria estreitara-se de modo claro – 40% contra

39,3% de votos para o MDB. Se, de certo modo, era notável que ainda conseguisse amealhar esse total de votos, evidenciando o peso das tendências conservadoras no país, confirmava-se, por outro lado, a força crescente do MDB, revelada novamente nas grandes cidades e nos estados mais dinâmicos e populosos. Bafejada, contudo, pelos distorcidos quocientes eleitorais – aprofundados pelo "pacote de abril" e com a bancada de senadores biônicos –, a Arena fez 42 senadores, contra apenas 25 do MDB. Na Câmara, também garantiu maioria, embora encolhida: 231 × 189 cadeiras. Era visível, porém, que o bipartidarismo voltara-se agora contra seus criadores. Entre os líderes do regime existente não havia mais dúvida de que aquilo tudo teria que ser reformado, e profundamente reformado, para que pudessem conservar a estabilidade do chamado "sistema".

Apesar desses reveses parciais, a política institucional ainda estava sob controle – e sob rédeas curtas. Entretanto, havia aqui e ali pontos fora da curva, que os radares governamentais não conseguiam captar com exatidão. De fato, se o aparelho repressivo fora capaz de aniquilar ou neutralizar as organizações clandestinas de oposição, armadas ou não, passavam ao largo de suas antenas os movimentos sociais que se rearticulavam molecularmente na sociedade.

Os movimentos sociais e as greves operárias

Há estudos bem-documentados, embora insuficientes, sobre os movimentos sociais da primeira metade dos anos 1960 até o golpe de 1964, na conjuntura mais quente da história da República. Muito foi produzido também a respeito dos movimentos estudantis e operários (bem menos intensos) em 1966-68, das greves operárias e do conjunto das manifestações depois de 1978. Entretanto, o mesmo não se pode dizer do longo período que vai da decretação do AI-5, em 13 de dezembro de 1968, à irrupção da greve da Scania-Vabis, em maio de 1978.

Quase dez anos. Uma longa "travessia no deserto".

No conjunto, prevaleceram as atitudes que conformam os consensos construídos sob as ditaduras: ao lado do adesismo puro e simples, o conformismo diante do que se considera irreversível, o medo de represálias, o sentimento de impotência, a simpatia descomprometida, ou, no limite, a indiferença.[10] Sem falar no entrecruzamento dessas atitudes no tempo e no espaço, expressando ambiguidades e ambivalências.

Simultaneamente, contudo, debaixo daquelas cinzas, vicejavam as brasas das amarguras represadas, dos desejos insatisfeitos, das aspirações contrariadas. Às vezes, tomavam corpo em ações moleculares de reorganização política e sindical. A maioria, cedo desfeitas. Em outros casos, raros, redes embrionárias que se formavam e persistiriam, como o movimento das oposições sindicais e o movimento contra a carestia, entre 1974 e 1976. De ora em vez, brotavam fagulhas, mais ou menos organizadas, como quebra-quebra de trens e ônibus, pequenas greves localizadas, desde fins de 1974, evidenciando que a ordem estava garantida, mas ainda não reinava a paz dos cemitérios.

Houve então o terremoto de novembro de 1974. Através do voto, protegida pela cabine indevassável, tomou corpo uma grande manifestação coletiva e nacional, aparecendo o MDB, pela primeira vez em sua curta trajetória, como estuário de uma pluralidade de oposições à ditadura, sem contar a importante migração de desencantados de variados tipos.

Quase um ano depois, houve a primeira manifestação pública de descontentamento. Aconteceu, como já referido, em outubro de 1975, em protesto pelo assassinato de Vladimir Herzog. Embora sob vigilância, uma pequena multidão teve coragem para sair de suas casas e ir ao culto ecumênico celebrado na Catedral da Sé, em São Paulo.

Um primeiro marco.

No começo do ano letivo de 1976, pipocaram greves estudantis no Rio de Janeiro, em São Paulo e na Bahia. E os funerais de JK e Jango, em agosto e dezembro, respectivamente, atestaram a persistente popularidade dessas lideranças políticas. Também aí foi possível, embora timidamente, ouvir reivindicações por democracia e, através de canções, ensaios de protesto.

Aqueles indícios de revolta se ampliariam no ano seguinte. Em março de 1977, em São Paulo, os estudantes voltariam às ruas pela primeira vez, desde 1968. Em maio, num movimento coordenado, houve uma greve de 80 mil, paralisando parcialmente várias universidades. A truculência da repressão não se fez esperar, com a invasão da Universidade Nacional de Brasília (UnB), em junho, e da Pontifícia Universidade Católica de São Paulo (PUC-SP), em setembro, quando da tentativa de reorganização da UNE. No entanto, os agentes da repressão não conseguiam mais conter aquelas gentes. Ao contrário, funcionaram como uma espécie de combustível para novos movimentos.[11]

Em julho de 1977, um estudo do Banco Mundial sustentou, com dados e números aparentemente exatos, que a inflação registrada em 1973 fora de 22,5% e não de 15,5%, conforme oficialmente anunciado. A defasagem tinha grande importância, pois incidia diretamente, segundo os termos da legislação em vigor, nos reajustes salariais. A farsa, desvendada, originou um movimento pela reposição salarial do percentual garfado, cuja legitimidade era dada pelos cálculos de uma organização internacional considerada insuspeita. Lideranças sindicais começaram a se manifestar publicamente pela "reposição", destacando-se um jovem dirigente, de 32 anos, reeleito presidente do Sindicato dos Metalúrgicos de São Bernardo do Campo e Diadema, cidades da Grande São Paulo. Quando empossado no segundo mandato, afirmara que os patrões só ouviriam os trabalhadores quando as "máquinas parassem". Seu nome se inscreveria na história do país: Luiz Inácio Lula da Silva.

Em 15 de maio de 1978, as máquinas pararam. A greve começou na Scania-Vabis, em São Bernardo, por um setor decisivo, a ferramentaria, que controla a qualidade da produção. Os operários cruzaram os braços e desligaram os botões das máquinas. Fez-se um silêncio sepulcral. Na memória de um participante: "Um silêncio de festa."

O sindicato foi imediatamente chamado. Embora não soubessem se "ficavam alegres ou com medo", os dirigentes, Lula à frente, resolveram bancar a greve e suas reivindicações. O elenco das principais dá o quadro das aspirações e reclamos dos operários de então: 20% de reajuste salarial; papel higiênico nos banheiros; quinze minutos para tomar cafezinho; revogação da exigência de marcar no relógio de ponto eventuais idas ao banheiro.

Rápida e surpreendentemente, a greve alastrou-se. Da Scania para a Volks e para a Ford. Em poucos dias, contaminara 50 mil operários.

As reivindicações eram exclusivamente sindicais, e os dirigentes da greve faziam o possível e o impossível para caracterizar o movimento como apartidário e "apolítico". O apartidarismo era evidente, pois tanto a Arena como o MDB navegavam apenas nos mares dos jogos eleitorais. Quanto às organizações clandestinas remanescentes, eram muito pequenas e estavam suficientemente enfraquecidas e dispersas para ter alguma influência naquele processo.

O caráter político, entretanto, dissessem o que dissessem os sindicalistas, era um dado objetivo, extrapolava os limites das fábricas em greve, das reivindicações formuladas e do sindicato local, para atingir a legislação salarial, as ameaças repressivas e os objetivos políticos do regime ditatorial.

A política de institucionalização da ditadura, cuidadosamente planejada, nunca mais seria a mesma. Haviam se intrometido na história, sem serem chamados, o imprevisto e o improvável.

As ondas de choque do movimento iniciado na Scania-Vabis e em São Bernardo disseminaram-se pelo estado de São Paulo e por todo o país, confortando e incentivando as gentes à luta por seus interesses. No mesmo movimento, lideranças e partidos, legais e ilegais, jornalistas e cientistas sociais, estudantes e curiosos corriam para São Bernardo na perspectiva de compreender o fenômeno e dele se apropriar, com segundas e terceiras intenções.

À direita e à esquerda, entre os empresários e os operários, num primeiro momento quase todos celebravam Lula e seus companheiros, embora com ressalvas. Como sempre acontece, naquela unanimidade havia enganos de diversas naturezas. Com efeito, havia ali incógnitas a serem decifradas e levaria tempo para que se decantassem expectativas e ilusões, muitas das quais se mantêm até hoje.

Entretanto, apesar da alergia inicial em discutir "política" e de desejar manterem-se afastados dela, Lula e seus companheiros cedo identificaram-se com as oposições à ditadura e tiveram participação ativa e marcante nas eleições realizadas em novembro de 1978, apoiando a candidatura alternativa de Fernando Henrique Cardoso, refinado sociólogo, perseguido e cassado pela ditadura, mas que encontrara brechas e condições para assessorar o MDB paulista e nacional. Embora até então conhecido apenas na academia, FHC teve mais de um milhão de votos, colocando-se como primeiro suplente de André Franco Montoro, líder moderado do partido de oposição, facilmente eleito para o Senado (o outro senador, biônico, foi eleito indiretamente e era da Arena).

A institucionalização da ditadura: realizações, contradições, limites

Em seu ocaso, o governo Geisel apresentava resultados que suscitavam controvérsias.

O crescimento econômico mantivera-se firme, embora não no ritmo alucinante do "milagre econômico". E o PNB crescera a taxas relativamente elevadas: 8%, em 1974; 10%, em 1976; e 5% em 1975, 1977 e 1978.

Havia, porém, nuvens sombrias naquele céu.

Em quatro dos cinco anos, a balança comercial apresentou déficits. No quinquênio, um buraco de cerca de US$ 11 bilhões. A dívida externa, graças à qual fora possível custear a maior parte dos investimentos, pulara de US$ 20 bilhões, em 1974, para US$ 52 bilhões, em 1978, convertendo o país no campeão mundial do endividamento. O pior é que parecia uma dívida impagável, com os juros se amontoando de modo descontrolado. O custo de vida (dados da cidade de São Paulo), depois de ter alcançado 20% em 1974, oscilara nesse patamar, para mais ou para menos, até o fim de 1978. Para quem protegia seus rendimentos com a correção monetária, dava para segurar. Mas a maioria dos trabalhadores começava a sentir nos bolsos o peso daquela sangria. Os demais índices relativos às condições dos trabalhadores, como o do salário mínimo, continuavam muito baixos, longe de se igualarem às taxas da inflação e ao aumento persistente do custo de vida. Referida a uma base = 100, o salário mínimo chegara a alcançar 130, antes do golpe, para cair entre 78 e 82 nos anos governados por Geisel.[12]

Esse quadro gerava insatisfações de toda ordem, que, combinadas às brechas que se abriam no contexto da distensão, acabaram desaguando nos movimentos sociais de 1978.

Politicamente, alguns objetivos básicos da dupla Geisel-Golbery tinham sido alcançados – os Atos Institucionais cairiam em desuso a partir do primeiro dia de 1979, revogando-se o estado de exceção, ou seja, a ditadura. A decisão fora ratificada pelo próprio Congresso Nacional. A censura política já não existia e os tribunais haviam recuperado a autonomia. Com o "pacote de abril" e mais outras emendas anteriores, conformara-se um estado de direito autoritário, cercado de salvaguardas relativamente eficazes. A Arena, nas eleições de 1978, mantivera maioria no Congresso, o controle de quase todos os governos estaduais e a maior parte das prefeituras com as respectivas assembleias legislativas e câmaras de vereadores. O questionamento mais radical de esquerda estava desmantelado por um bom tempo. Os aparelhos de segurança, embora insatisfeitos, tinham sido contidos. Sua principal estrela, o general Sylvio Frota, recolhera-se ao silêncio.

Aquele mar, no entanto, estava longe de ser tranquilo.

As pesquisas de opinião pública assinalavam força crescente das oposições nos estados e cidades mais importantes. Era um dado aparentemente irreversível, sobretudo porque o quadro econômico não era nada animador. As coisas iam mal e era provável que piorassem. Não gratuitamente, segmentos conservadores – lideranças e bases sociais – moviam-se, cada vez mais, para posições críticas ao regime ditatorial. Por outro lado, os aparelhos de segurança radicalizavam-se e endureciam, cultivando ainda propostas de "virar a mesa".

Do ponto de vista político-jurídico, as linhas básicas do novo estado de direito eram questionadas como ilegítimas por parte das oposições. Se caíssem, como elas queriam, o que surgiria em seu lugar? O próprio presidente da República, eleito indiretamente em novembro de 1978, teria condições de completar o "aperfeiçoamento" do regime democrático? Ou recorreria, mais cedo ou mais tarde, como os anteriores, à força bruta, a novos Atos Institucionais? Quais as consequências que adviriam de uma anistia, por mais restrita que fosse? Finalmente, mas não menos importante, como se comportariam os novos movimentos sociais, desencadeados a partir de maio? Onde tudo aquilo iria parar?

A ditadura ficara para trás, ao menos temporariamente. A sociedade, inquieta e esperançosa, dava os primeiros passos para uma transição ainda indefinida.

6. A transição democrática (1979-1988)

Chamamos de transição democrática o período que se inicia com a revogação das leis de exceção, os Atos Institucionais, em 1979, e termina com a aprovação de uma nova Constituição, em 1988. De transição, porque nele se fez um complicado e acidentado percurso que levou de um estado de direito autoritário, ainda marcado pelas legislações editadas pela ditadura, conhecidas como "entulho autoritário", a um estado de direito democrático, definido por uma Constituição aprovada por representantes eleitos pela sociedade.

A particularidade da história brasileira – memória e história

No Brasil, ocorreu uma particularidade: o restabelecimento do estado de direito não coincidiu com a instauração de uma Constituição democrática. O país deixou de ser regido por uma ditadura – predomínio de um estado de exceção, quando prevalece a vontade, arbitrária, dos governantes, que podem fazer e desfazer leis – sem adotar de imediato, através de uma Assembleia eleita, uma Constituição democrática. Em outras palavras: no período de transição *já* não havia ditadura, mas *ainda* não existia uma democracia.[1]

Atestam-no numerosas evidências: ausência de leis de exceção; liberdade de imprensa; funcionamento regular dos tribunais; restabelecimento pleno dos institutos do *habeas corpus*, da vitaliciedade e da inamovibilidade; pluralismo partidário e sindical; eleições regulares disputadas por diferentes partidos, com o reconhecimento dos eleitos, independentemente da respectiva filiação partidária; poderosos movimentos sociais – greves gerais e manifestações políticas – desenvolvendo-se livremente; inexistência de presos e de exilados políticos.

Pode-se chamar, *a posteriori*, a transição de democrática porque ela desembocou efetivamente num regime constitucional democrático, embora isso não estivesse dado, desde o início, como destino inevitável. Conforme veremos, não faltaram ameaças de retorno à ditadura, que não prevaleceram.

No entanto, o senso comum, dado pela memória social e reforçado por grande parte da historiografia, data a posse do presidente José Sarney, em 1985, como assinalando o fim do período do regime ditatorial. Um paradoxo, pois Sarney, desde 1964, quando abandonou suas posições de esquerda moderada para aderir ao golpe, foi, incontestavelmente, um homem do "sistema", um alto dirigente da Arena, tendo ocupado importantes postos de responsabilidade durante o período ditatorial.

Só em 1984, *depois* do fim do regime de exceção, é que Sarney deixou o Partido Democrático Social (PDS), sucedâneo da Arena, do qual foi presidente, para desempenhar papel indispensável na eleição – indireta – da chapa formada por Tancredo Neves e ele próprio, que saiu vencedora. Com a morte de Tancredo, que nem sequer chegou a tomar posse, coube portanto a Sarney, um homem da ditadura, tornar-se o primeiro presidente civil, 21 anos depois do golpe de 1964.

Apesar dos fatos, e como acontece com frequência, a historiografia continua, até hoje, saturada de memória. Como se sabe, referências cronológicas não são *objetivas*, não *estão lá*, antes que a história se faça, determinando seus caminhos como marcos postados à margem de uma estrada já construída. A cronologia, ao contrário, tende a ordenar a reflexão histórica, condicionando-a em diferentes direções, segundo escolhas bem determinadas.

No Brasil, formou-se ampla coligação de interesses e vontades a favor da ideia de que a ditadura teria se encerrado em 1985. Na base dessa verdadeira *frente* social, política e acadêmica, estava uma ideia-força de modo nenhum respaldada pelas evidências – a de que a ditadura fora obra apenas dos militares, reconstruídos como *bodes expiatórios*, responsáveis únicos pela *noite escura* e pelos *anos de chumbo*. Como se viu ao longo deste livro, embora os militares tenham sido protagonistas – inegáveis – de primeiro plano, tendo exercido sempre a Presidência da República, além de inúmeros outros papéis relevantes, a ditadura nunca foi obra exclusivamente sua.

Na gênese, houve as Marchas da Família com Deus pela Liberdade. A heterogênea frente que respaldou o triunfo do golpe decantou-se de maneira ziguezagueante e contraditória, o que ensejou sucessivamente os movimentos de 1968 e os anos de ouro – e de chumbo – da ditadura. Mesmo no apagar das luzes do regime ditatorial, em 1978, a Arena ainda conseguiu ganhar diversas eleições e ter o maior número de sufrágios. Ao longo do processo, nos ministérios, nas agências e empresas estatais, nas academias e universidades, nas assessorias de imprensa que se multiplicavam, na Igreja, nos governos e nos parlamentos, nas estruturas sindicais, urbanas e rurais, nos próprios aparelhos repressivos e até mesmo nas louvadas trincheiras da liberdade – a OAB, a ABI e a CNBB, como já mencionado – estiveram presentes e atuantes civis que apoiavam o regime ou que a ele se subordinavam por motivação vária.

A ditadura no Brasil, até pelo longo período que durou, foi uma construção histórica. Impossível compreendê-la sem trazer à tona suas bases políticas e sociais – múltiplas e diferenciadas.

Definir e defender o marco cronológico de 1985 pode ensejar – e tem ensejado – a construção de *bodes expiatórios*, um antigo recurso da espécie humana, eficaz para promover a coesão social e nacional, impróprio para a construção do conhecimento.

Ao contrário do que sustenta outro senso comum – o de que "o brasileiro não tem memória" –, o povo mostra que tem, sim, memória, e que a exerce em detrimento do conhecimento. Não foi o primeiro nem será o último a fazê-lo. A sociedade francesa, depois da Segunda Guerra Mundial, agiu da mesma forma – e ainda o faz – com relação ao difícil inventário do colaboracionismo com a dominação nazista. A sociedade alemã não fica atrás quando se trata de refletir sobre as bases sociais e históricas do nazismo. E o que dizer da Itália fascista ou da União Soviética stalinista? É sempre difícil encarar as razões e as desrazões da colaboração com regimes que se tornaram odiosos. É fácil e eficaz – e menos doloroso – quebrar o retrovisor e olhar para a frente. E silenciar. O marco cronológico de 1985 estende um denso manto de silêncio sobre as bases sociais e políticas – civis – da ditadura. Enquanto persistir, serão escassas as chances de compreender o passado.

O ano de 1979: as greves operárias e o verão da anistia

O novo governo, chefiado pelo general João Baptista Figueiredo, entrou em funções em março de 1979 em meio às turbulências proporcionadas por uma nova greve dos metalúrgicos de São Bernardo. Um primeiro teste e um indício claro de que as coisas seriam doravante bem mais complexas, inclusive porque o presidente da República já não dispunha de instrumentos de exceção para conter as oposições que brotariam de todos os lados.

Os operários paulistas, sempre conduzidos por Lula, que, apesar de relativamente jovem, se consolidava como uma grande liderança, estavam mais bem organizados, não apenas nas fábricas, mas também nos bairros em que moravam, apoiados pelos vizinhos e amigos, pelas organizações católicas, pela igreja local, sem falar na simpatia que inspiravam nas oposições, do MDB à mais esquerdista das organizações clandestinas remanescentes.

Houve o enfrentamento com os patrões, apoiados pelo governo. E a mobilização da legislação autoritária contra o movimento dos operários. Em pouco tempo, o sindicato dos metalúrgicos de São Bernardo foi fechado, a diretoria, destituída, as lideranças, presas. Mas o movimento, melhor estruturado que em 1978, resistiu por quase um mês e meio. Afinal, sobreveio o revés, porém a derrota não foi catastrófica. Ao contrário: os líderes acabaram libertados e se tornaram rapidamente heróis de seus liderados, reforçados em sua autoridade e prestígio.

Ao mesmo tempo, tornou-se tarefa impossível "despolitizar" o processo de lutas, como se havia sustentado, por convicção ou oportunismo, durante a greve do ano anterior. A aliança entre patrões e governo revelara-se de modo insofismável. Aquele governo tinha um lado – os patrões – e o apoiava com todas as suas forças. Evidenciou-se igualmente o descolamento do MDB em relação às lutas sociais. Era, sem dúvida, um partido simpático aos operários, disposto a ajudá-los, mas como se fora uma espécie de entidade externa, vocacionada para outras lutas e outras esferas, a saber, o jogo político-eleitoral.

Também apareciam como "externas", ou eram assim caracterizadas, as duas grandes tradições das esquerdas brasileiras: o trabalhismo e o comunismo. Leonel Brizola no exílio, em Lisboa, Portugal, estava prestes a lançar um *novo* PTB, reunindo velhos dirigentes, correligionários e militantes que haviam participado da luta armada. Autocriticando antigas inclinações revolucionárias, abraçando projetos reformistas moderados, articulava-se com a Internacional Socialista (IS) e se propunha a revisar as práticas e as teorias das esquerdas, defendendo uma nova síntese: o *socialismo moreno*. Não tinha nada a dizer aos – ou sobre os – movimentos sociais que irrompiam no Brasil.

Já o PCB, profundamente golpeado em anos anteriores, reorganizara o comitê central no exílio e observava com entusiasmo e boa disposição o processo, ainda que de longe e com alguma desconfiança. Dividido em alas que cedo se mostrariam inconciliáveis, parecia seguro de que aquela coisa toda iria acabar caindo no colo – ou nas mãos – dos comunistas, como se empurrada por alguma força de gravidade misteriosa. Afinal, em sua teoria, o PCB era o partido da classe operária, e a classe operária não tinha mais do que um partido: o próprio PCB.

No entanto, o que se afirmava era o protagonismo dos líderes sindicais, cada vez mais reconhecido por todos, mesmo por aqueles que aspiravam apenas a instrumentalizá-los. Entre muitos e muitos outros, Luiz Inácio Lula da Silva, José Cicote, Henos Amorina, presidentes dos sindicatos de metalúrgicos de São Bernardo, Santo André e Osasco, respectivamente; Paulo Skromov, do sindicato dos coureiros; Jacó Bittar, dos petroleiros de Campinas; Olívio Dutra, dos bancários de Porto Alegre. Em torno deles, articulava-se uma inusitada constelação. Contavam-se aí militantes provenientes das esquerdas revolucionárias, das comunidades vinculadas às várias expressões do catolicismo social e intelectuais críticos às tradições trabalhistas e comunistas.

Toda essa gente, heterogênea, começou a elaborar e a amadurecer a perspectiva de participar com autonomia dos destinos da República. Nesse sentido, caberia aos trabalhadores pensar num partido específico, que eles mesmos pudessem constituir e liderar. Em filigrana, brotava a ideia do que seria o Partido dos Trabalhadores (PT). Em termos imediatos, asseguraria a relevância das lideranças operárias emergentes. Para os católicos, era um jeito de salvar os trabalhadores das influências trabalhistas e comunistas, consideradas nefastas por eles. Quanto aos militantes revolucionários, que compartilhavam essas convicções, mas de outros ângulos, viam aquilo tudo pelo prisma de um lema histórico de que gostavam e que parecia esquecido: "A emancipação dos trabalhadores só depende dos trabalhadores."

No contexto internacional, o "despertar" dos trabalhadores brasileiros, porque o exemplo de São Bernardo continuava a se estender por outros estados, atraía atenções e suscitava entusiasmos. Subitamente, a classe operária no país, que parecia adormecida, surgia como uma das mais ativas e combativas em escala mundial. Empolgados, muitos intelectuais, bem à brasileira, já cunhavam a expressão que se tornou um mantra: o *novo* sindicalismo, a *nova* classe operária.

Restava compreender como pudera aparecer o *novo* em tão antiquadas organizações, porque elas haviam surgido no contexto de uma ditadura, a do Estado Novo, que datava dos anos 1940, e haviam sido mantidas e desenvolvidas por uma outra, que mal se encerrara, a instaurada em 1964. A incômoda questão, se levada a sério, suscitaria doloroso inquérito sobre essa notável estrutura, capaz de atravessar diferentes conjunturas, refazendo vidas como um felino de sete fôlegos.[2] Preferiu-se encobrir o fenômeno com uma retórica altissonante e revolucionária. Num arroubo típico, e depois de ter afirmado que não queria intelectuais e estudantes se intrometendo com os operários, Lula afirmou que o AI-5 dos trabalhadores era a Consolidação das Leis do Trabalho (CLT). Uma senha para afastar comunistas e trabalhistas. Entretanto, tais críticas contundentes ao corporativismo sindical estatista, embora provenientes de líderes sindicais formados nessas mesmas estruturas, longe de parecerem incongruentes, provocavam euforia e faziam arder as imaginações.

Derrotada a greve de São Bernardo, a dupla João Baptista Figueiredo e Golbery do Couto e Silva iria dedicar-se à elaboração e à aprovação de duas leis fundamentais – a da Anistia e a da Reforma Partidária. Delicados elos, difíceis nós a serem desatados para que se afirmasse o estado de direito autoritário. Com esses objetivos, acionariam a maioria arenista conquistada em 1978, incluindo-se aí os senadores "biônicos".

Do ponto de vista do governo, a Lei da Anistia teria que, simultaneamente, promover a libertação dos presos remanescentes, o retorno dos exilados e a proteção dos aparelhos de segurança, denunciados como executores da tortura como política de Estado. Considerando as oposições crescentes, à direita e à esquerda, não seria uma tarefa fácil.

Os comitês de anistia, organizados em diversos estados e contando com amplo respaldo da opinião pública internacional progressista, exigiam uma anistia "ampla, geral e irrestrita". Agitavam a sociedade com manifestos, encontros e manifestações públicas que, às vezes, chegavam a congregar dezenas de milhares de pessoas. Alguns setores, mais radicais, acrescentavam, no embalo, que seria necessário desmantelar os órgãos repressivos e proceder ao julgamento dos torturadores. Outros, moderados, ligados ao MDB e ao PCB, concordavam com a exclusão dos chamados "crimes de sangue", uma reivindicação das forças mais conservadoras que seria "realista" aceitar. Tratava-se de concordar com o possível, numa primeira etapa. Mais tarde, se veria o caso dos acusados de "crimes de sangue". As direitas também se dividiam, desde os que não queriam falar do assunto aos que o admitiam, contanto que a anistia fosse parcial, deixando de lado os "terroristas", acusados de mortes matadas ou do que chamavam de "sequestros".

No debate que se instalou, quando a sociedade brasileira teve uma primeira oportunidade de exercitar a memória – e de elaborar seus silêncios – sobre o passado recente, afirmaram-se algumas interessantes *(re)construções históricas*, verdadeiros *deslocamentos de sentido* que se fixaram como verdades irrefutáveis, correspondentes a processos históricos *objetivos* e não a versões consideradas apropriadas por seus autores.

Um primeiro *deslocamento de sentido*, promovido pelos partidários de uma ampla anistia, apresentou as esquerdas revolucionárias como parte integrante da *resistência democrática*, uma espécie de braço armado dessa resistência. Apagou-se, assim, o caráter revolucionário da proposta que havia moldado aquelas esquerdas. Ou seja, apagou-se o fato de que eram partidárias de uma ditadura revolucionária para efetuar as transformações radicais, essenciais à construção de uma sociedade livre da exploração e da opressão. Do ponto de vista histórico, não havia aí nada de inusitado ou excepcional, pois os modelos revolucionários do século XX haviam desembocado, realmente, em experiências ditatoriais.

Já as forças de direita retomaram o discurso da polícia política, reconstruindo as ações armadas praticadas como uma autêntica *guerra revolucionária*, na existência da qual as próprias esquerdas revolucionárias, em certo momento, acreditaram. Com base nessa tese ("se houve uma guerra, os dois lados devem ser considerados"), que reconhecia o caráter "sujo" do conflito, sustentava-se que os "dois demônios" deveriam ser considerados – e anistiados.* Fazia-se aí a economia de uma gritante evidência: não houvera guerra alguma, e sim um enfrentamento extremamente desigual entre um poderoso Estado e suas Forças Armadas contra alguns milhares de revolucionários e seus simpatizantes.

O argumento tinha uma lógica e um objetivo: introduzir na Lei da Anistia dispositivos que, de forma dissimulada, pudessem garantir uma inusitada figura jurídica, a *anistia recíproca*, por meio da qual seriam anistiados, num único movimento, os torturados e os torturadores. A manobra provocou certo escândalo e suscitou protestos. Não à toa a lei, sancionada em 28 de agosto de 1979, seria aprovada por margem reduzida (206 × 201 votos). Outras restrições foram

---

* A tese dos "dois lados" – "dois demônios" –, equiparando os revolucionários e a polícia política, foi, anos mais tarde, elaborada e defendida na Argentina. Antes de ser revogada, foi adotada por algum tempo pelo Estado no país vizinho. Em abril de 2010, o STF acolheu, por 7 × 2, a peregrina ideia, embora a tese seja amplamente condenada pelas instâncias jurídicas internacionais.

embutidas, entre elas a que excluía do benefício da lei os chamados "crimes de sangue", e a que submetia a reintegração dos anistiados nos empregos anteriores ao crivo de comissões especiais de triagem. Só um pouco mais tarde, com a reformulação da Lei de Segurança Nacional (LSN) e a redução drástica das penas, é que foi possível libertar as dezenas de presos políticos remanescentes. Saíram da prisão, embora não anistiados.*

Os debates da época ensejaram ainda uma terceira reconstrução, de ordem bem mais geral: a sociedade se reconfigurou como tendo se oposto, sempre, e maciçamente, à ditadura, transformada em *corpo estranho*. Redesenhou-se o quadro das relações complexas entre sociedade e ditadura, que apareceu como permanentemente hostilizada pelas gentes. Construiu-se o silêncio sobre o amplo movimento de massas que, através das Marchas da Família com Deus pela Liberdade, legitimou socialmente a vitória do golpe. Desapareceram as pontes e as cumplicidades tecidas ao longo dos anos 1970 e que, no limite, constituíram fundamentos do próprio processo de distensão, lento, seguro e gradativo. Figuras notáveis e veneráveis instituições, que haviam apoiado a ditadura no início ou em algum outro momento, apareceram reapresentadas como democratas sem mácula. Um político imaginativo – Leonel Brizola – empregou, então, uma curiosa metáfora: o povo brasileiro, macunaimicamente, comera a ditadura, mastigando-a com vagar, a digerira e se preparava agora para expeli-la pelos canais próprios. Um verdadeiro achado. A sociedade brasileira não só resistira ao regime mi-

* Só anos mais tarde, em 1985, é que seriam, afinal, anistiados.

litar, como também o vencera. Difícil imaginar poção melhor para revigorar a autoestima.

Ernest Renan, pensador francês de fins do século XIX, dizia, com senso prático e nenhum cinismo, que, para a boa coesão e harmonia sociais, mais vale construir o esquecimento como memória. A rigor, na sociedade brasileira de então, e como ocorre frequentemente, preferiu-se, como memória, o silêncio. Em outras palavras, o silêncio como forma de memória.[3]

O retorno dos exilados e a libertação dos presos, dada a pluralidade de trajetórias e expectativas, levaram a uma certa cacofonia.

Os mais moderados, comunistas do PCB e do PC do B, enfatizavam a necessidade de cautela. Sobretudo entre os primeiros, ainda assombrados pela derrota de 1964, tratava-se de impedir o retorno do "esquerdismo", que poderia precipitar desastres. Era preciso permanecer no MDB e fortalecê-lo, até que fosse possível convocar uma Assembleia Constituinte. Em resumo: tudo era muito frágil para que movimentos bruscos pudessem pôr em risco o que já fora conquistado. De modo geral, embora trabalhando em faixa própria, encontrava-se também entre os moderados Leonel Brizola, dedicado a organizar um partido próprio e multiplicando afagos ao presidente Figueiredo.

Através de nuances diferenciadas, chegava-se ao campo de esquerdas mais radicais, fragmentadas em pequenas organizações e grupos. Para elas, a ditadura ainda estava viva, através das legislações autoritárias e da permanência, intacta, dos aparelhos repressivos. A aposta deveria ser feita nas greves operárias e nas lideranças do *novo* sindicalismo. Não se perdia a esperança de que os movimentos sociais pudessem criar uma crise revolucionária, levando, quem sabe, à derrubada efetiva da ditadura e à construção de um processo revolucionário que desembocasse no socialismo ou em formas de transição nessa direção. Encontrava-se aí, já desgarrado do PCB, na iminência de abandoná-lo (o que ocorreria meses depois, em março de 1980), misturado a ex-militantes das esquerdas revolucionárias, Luiz Carlos Prestes.

Aproveitando-se dessas brechas entre as oposições, incentivando-as, o governo propôs uma reforma partidária, aprovada em fins de novembro de 1979. Desmontando o bipartidarismo instaurado em 1965, propiciou a criação de seis partidos.

O campo conservador, embora já dilacerado por divergências, permaneceu ainda fundamentalmente unido, convertendo-se a Arena no PDS. No entanto, alguns de seus cabeças, como Magalhães Pinto, migraram para formar, com líderes moderados do MDB, como Tancredo Neves, o Partido Popular (PP), destinado a ocupar um lugar de centro, equidistante dos radicalismos de direita e de esquerda. O MDB reconstituiu-se como Partido do Movimento Democrático Brasileiro (PMDB), pois, nos termos da reforma aprovada, o termo "partido" era formalmente exigido, guardando como correntes internas os comunistas do PCB e do PC do B, além de grupos clandestinos menores.

Formaram-se ainda três partidos. O campo do trabalhismo, graças à hábil manobra atribuída a Golbery, cindiu-se em duas siglas: a tradicional, o PTB, ficou sob o comando de Ivete Vargas, antiga liderança que colaborara sempre com a ditadura. Bloqueado em seus objetivos de se reapropriar da prestigiosa sigla, Leonel Brizola não teve alternativa senão fundar uma nova legenda: o Partido Democrático Trabalhista (PDT). Finalmente, na esquerda extrema, sob a liderança de Lula e de outros sindicalistas, articulando organizações e grupos remanescentes das esquerdas revolucionárias e os militantes da esquerda católica, formou-se o PT, fundado em fevereiro de 1980.

De sorte que, no chamado *verão da anistia*, entre dezembro de 1979 e março de 1980, constituiu-se uma nova estrutura político-partidária no país. Com algumas mudanças, advindas de fragmentações e reagrupamentos ulteriores e do surgimento de novos atores, condicionaria a construção democrática até os dias de hoje.

Se na articulação da reforma partidária o governo parecia colher frutos, conseguindo quebrar a unidade da "frente antiditatorial" que o MDB passara a encarnar desde 1974, o mesmo não se podia dizer do enfrentamento com suas oposições de direita, dispostas a paralisar e implodir os projetos de "aperfeiçoamento democrático". Os elementos mais decididos nesse campo estavam nos aparelhos de segurança, ou a eles associados, protegidos pelas alturas do Estado, numa extensão até hoje mal-esclarecida.

Depois de uma série de atentados a bomba, realizados impunemente, esses elementos resolveram "comemorar", a seu modo, em fins de agosto de 1980, o primeiro ano da aprovação da Lei da Anistia. Através de cartas-bomba, tentaram matar, no Rio de Janeiro, o presidente da OAB, Eduardo Seabra Fagundes, e um vereador do MDB, Antonio Carlos de Carvalho, vinculado ao MR-8, então na clandestinidade. Uma terceira carta-bomba foi deixada no jornal *Tribuna da Imprensa*, também no Rio de Janeiro. As bombas mataram Lyda Monteiro da Silva, secretária do presidente da OAB, e mutilaram José Ribamar de Freitas, assessor do vereador. Os atentados provocaram comoção nacional e o enterro de d. Lyda transformou-se numa grande passeata de protesto. Entretanto, as investigações deram em nada, expondo as poderosas conexões que seus autores tinham no Estado.

Quase um ano e meio depois, os aparelhos de segurança voltariam a preparar um novo atentado, ainda mais devastador, caso se efetivasse, que ocorreria por ocasião de um show realizado no Riocentro, no Rio de Janeiro, em comemoração ao Primeiro de Maio. Por inadvertência dos autores, frustrou-se a ação, pois uma das bombas que explodiria no meio da multidão acabou detonando no colo do terrorista, Guilherme Pereira do Rosário, sargento do DOI-Codi, ferindo ainda gravemente o capitão Wilson Dias Machado, lotado no mesmo órgão, que o acompanhava e chefiava.

Resultou em novo escândalo de dimensões nacionais, mas no inquérito aberto pelo governo nada se apurou e não houve punições, embora fossem óbvios os responsáveis. O general Golbery, contrariado, demitiu-se. Figueiredo parecia enfraquecido e desmoralizado, e nunca mais foi o mesmo depois desse episódio: não se queria cúmplice do ato terrorista, contudo não tinha força, ou vontade, para ir além de bravatas patéticas, mostrando-se incapaz de controlar aquela conspiração. O fato é que foram tomadas providências, nunca anunciadas e até hoje não sabidas, pois os "órgãos de segurança" não mais se manifestaram. Apesar de não terem sido desmantelados, foram gradativamente desativados, protegidos sempre pelo "corporativismo institucional", quando não pela solidariedade política.*

* O capitão Wilson Dias Machado chegou ao coronelato. Entre outras funções, exerceu a de professor no Colégio Militar de Brasília.

Vencida a ameaça da direita extrema, o primeiro teste da nova paisagem político-partidária ocorreu nas eleições de novembro de 1982, para governadores e prefeitos, Congresso Nacional, assembleias legislativas e câmaras municipais. Havia ali desafios, não apenas pelo caráter geral do pleito, mas também porque, pela primeira vez desde 1965, seriam diretas as eleições para os governos estaduais.

Mesmo com a multiplicação das legendas, a polarização básica manteve-se entre os sucedâneos dos partidos mais conhecidos, o PDS, a Arena reconvertida, e o PMDB, sucessor do MDB. O primeiro elegeu doze governadores, todo o Nordeste, da Bahia para o norte, e um outro grande estado, o Rio Grande do Sul. Fez ainda a maior bancada da Câmara e do Senado e a maioria dos vereadores e prefeitos. Já o PMDB, reforçado por Tancredo Neves e seus amigos, que haviam desistido de formar o PP, elegeu nove governadores. Vitórias expressivas porque, entre elas, estavam três dos mais importantes estados da federação: São Paulo, Paraná e Minas Gerais. A surpresa, igualmente beneficiando as oposições, veio do Rio de Janeiro, com a vitória de Leonel Brizola, do PDT.

Para a Câmara Federal, o quadro não foi muito diferente. O PDS (235 cadeiras) e o PMDB (duzentas) fizeram quase todos os eleitos, 435 em 479 deputados. O PDT fez 23 deputados; o PTB, treze; e o PT, oito. Se somadas, a opinião conservadora e as oposições moderadas demonstram nítido predomínio. Depois de longos anos de ditadura, o país tornara-se mais conservador ainda do que antes. Um banho de água fria na fervura dos que imaginavam possível a existência de hipóteses de ruptura revolucionária. Pelo menos a curto prazo elas não se realizariam.

Entretanto, houve uma novidade de peso: o partido do governo, o PDS, embora com a maior bancada na Câmara dos Deputados, tinha menos cadeiras que as oposições reunidas, com 244 deputados. É verdade que o PTB, com treze deputados, era mais governista do que oposicionista, o que contrabalançava os números apresentados pelas oposições. No cômputo geral, porém, confirmara-se o inegável deslocamento dos votos a favor das oposições, pelo menos nos centros mais importantes do país. Ele exprimia a crítica às heranças da ditadura e a formas diversas de autoritarismo e a inquietação frente à incapacidade do governo de lidar com as condições econômicas adversas.

Com efeito, o sucesso e a euforia do "milagre econômico" eram agora coisas do passado. Ao longo de 1979, primeiro ano do governo Figueiredo, na esteira da revolução iraniana, que mudou o quadro das relações internacionais, houve o segundo choque do petróleo, provocando a duplicação dos preços já elevados do "ouro negro". Voltaram a se apertar, desde então, as margens do comércio externo. Nesse contexto, nem mesmo os êxitos parciais do governo Geisel conseguiam ser mantidos. As contradições, ou os limites, do crescimento econômico anteriormente alcançado – expressos numa brutal concentração de renda social e regional e num enorme endividamento exterior – tornavam-se claras. Na atmosfera de liberdade reconquistada, eram mais criticadas do que nunca e apresentadas como problemas estruturais, decorrentes dos governos da ditadura. Assim, em lugar do anunciado III PND, explodiu a crise da dívida externa e contraiu-se a taxa de crescimento, disparando o desemprego e a inflação, um coquetel fatal ao prestígio de qualquer governo.

No primeiro biênio – 1979-80 –, ainda foi possível manter taxas positivas de crescimento. Mesmo assim, com uma inflação na casa dos 100% anuais, registrados em 1980, tais taxas convertiam-se em miragens para milhões de trabalhadores, que dispunham apenas de reajustes semestrais.

Entre 1981 e 1983, o país descia ladeira abaixo, com uma perda real de cerca de 7% e a inflação oscilando entre 95% e 100%. Em 1982, no redemoinho da crise internacional desencadeada pela economia do México, incapaz de saldar seus débitos, o país esteve à beira da insolvência, salvando-se, *in extremis*, com o apoio do FMI e do governo dos Estados Unidos, que diziam, não sem razão, que "o Brasil era muito grande para falir". Temiam, é claro, as repercussões que o fato poderia suscitar na América Latina e em todo o mundo. Em 1984, último ano de Figueiredo na Presidência, o país voltou a registrar crescimento, de cerca de 5%, mas a grande massa da população não sentia seus efeitos com a inflação galopando em torno de 200%.[4] Na cúpula do poder, o presidente dava mostras de desorientação, não se interessando pelo exercício do cargo. Desde 1983, anunciou que entregava ao PDS as articulações para a sua sucessão. Carregava um desgaste político e pessoal que, em boa medida, exprimia – e simbolizava – o do sistema que representava, cujas heranças mal conseguira administrar.

A primeira metade dos anos 1980 foi difícil para as classes trabalhadoras. Os altos e baixos do crescimento econômico, combinados com o desemprego em alta e os reajustes sempre inferiores à inflação, toldavam os horizontes. Em compensação, as liberdades democráticas de expressão e de organização, readquiridas, apesar das ressalvas que ainda pudessem ser feitas, abriam margens apreciáveis de luta.

Foi nessa atmosfera que se realizou, em agosto de 1981, a Primeira Conferência Nacional das Classes Trabalhadoras (Conclat), reunindo cerca de 5 mil delegados vinculados a mais de mil sindicatos. Depois do fim da ditadura, foi a primeira e última vez que estiveram juntas todas as tendências do movimento sindical brasileiro, das alas mais moderadas às mais radicais. Das divergências então evidenciadas se criariam duas centrais sindicais, a Central Única dos Trabalhadores (CUT), próxima ao PT, formada em agosto de 1983, e a Confederação Geral dos Trabalhadores (CGT), em março de 1986, próxima do PMDB e também apoiada, em seus primórdios, pelos comunistas do PCB e do PC do B.

Depois dos grandes movimentos sociais registrados em fins dos anos 1970, desdobraram-se inúmeros outros, setoriais e parciais, urbanos e rurais, exibindo a disposição de luta dos assalariados – inclusive de classe média – para não suportarem sozinhos o ônus do processo inflacionário. É certo afirmar que se essas lutas não tivessem existido as perdas das classes populares teriam sido bem mais altas, ganhando destaque, nesse sentido, três tentativas de organizar greves gerais no país: em 1983, 1986 e 1987. Os resultados foram desiguais e declinantes.

As expectativas em torno de um *novo* sindicalismo, inteiramente livre da tutela – e da proteção – do Estado foram minguando na mesma proporção. Basta ver como evoluiu a questão do imposto sindical. Cobrado de todos os trabalhadores, mesmo sem filiação sindical, constituíra, desde o Estado Novo, a base material de uma burocracia autônoma em relação aos trabalhadores e suas lutas. Condenado com vigor em 1979, considerado pelas alas mais radicais um decisivo nó a ser desatado, foi cada vez menos atacado, e com menos força, até começar a ser sustentado, cada vez mais abertamente. Ao contrário do que esperavam tendências renovadoras, a estrutura sindical corporativista estatal, em novos termos, redefinida, permanecia lépida e fagueira e se consagraria, como veremos, pela Constituição de 1988.

Enquanto as lutas sindicais exauriam-se na defesa de pautas relativas às condições de vida e de trabalho, o movimento mais relevante no período – o das Diretas-Já – assumiu um caráter político. Exigia-se aí o retorno das eleições diretas para presidente da República. Tratava-se de pressionar o Congresso a votar a favor de uma emenda constitucional, proposta pelo deputado Dante de Oliveira, do PMDB, para que as eleições presidenciais seguintes, previstas para janeiro de 1985, se verificassem diretamente, restaurando-se a tradição anterior ao golpe de 1964.

A campanha das Diretas-Já e a eleição de José Sarney

Iniciando-se de maneira tímida em fins de 1983, a campanha das Diretas-Já tomou fôlego e ganhou intensidade, desaguando no maior movimento político da história da República. Nos primeiros meses de 1984, dezenas de comícios de massa ocorreram em todas as grandes cidades e mesmo em cidades medianas. Na reta final, houve comícios de 300 mil pessoas em Belo Horizonte (24 de fevereiro), 250 mil em Goiânia (12 de abril), 200 mil em Porto Alegre (13 de abril). Os maiores reuniram 1 milhão de pessoas, no Rio de Janeiro (10 de abril), e 1,5 milhão, em São Paulo, no comício de encerramento, em 16 de abril.

Constituiu-se uma formidável *frente única*, com a participação de todos os principais líderes políticos oposicionistas.

Uma nova e notável inversão de tendências em relação ao que se verificara em 1979, quando da reforma partidária. Naquele episódio, como se viu, enquanto os políticos da Arena mantinham-se coesos, constituindo, quase todos, o PDS, as oposições dividiam-se em cinco partidos distintos. Agora, era o contrário: enquanto os políticos do PDS dividiam-se em divergências e intrigas, as oposições uniam-se em torno de um mesmo objetivo. Da campanha pelas eleições diretas participaram Tancredo Neves, Ulysses Guimarães, Leonel Brizola, Luiz Inácio Lula da Silva, Miguel Arraes, Mario Covas, Franco Montoro, Fernando Henrique Cardoso, Roberto Freire, Orestes Quércia, entre muitos e muitos outros políticos. Do mais moderado ao mais radical, de ex-partidários da ditadura aos que sempre se haviam colocado em oposição, de antigos exilados a lideranças recentes, todos se uniram e parecia que, efetivamente, nada poderia conter aquela pressão.

Entretanto, a emenda Dante de Oliveira, posta a votos em 25 de abril de 1984, teve ampla maioria (298 votos a favor contra 65, e três abstenções), mas não conseguiu, por 22 votos, alcançar o quórum legal da maioria absoluta, necessário para a sua aprovação (113 deputados não compareceram).*

Foi uma imensa frustração, logo seguida por intensas articulações para lançar Tancredo Neves, governador eleito de Minas Gerais, candidato à Presidência no Colégio Eleitoral. Para disputar a eleição indireta, formou-se uma frente política – a Aliança Democrática – com políticos dissidentes do

* Mesmo aprovada na Câmara, não é certo que a emenda fosse vitoriosa, pois ainda teria de passar pela aprovação do Senado Federal, onde a maioria do PDS era sólida, com o apoio dos "biônicos".

PDS. Impedidos de votar em candidatos de outros partidos pela disciplina partidária imposta pela legislação, constituíram o Partido da Frente Liberal (PFL). Reuniam-se ali eminentes lideranças civis que haviam apoiado a ditadura ao longo de toda a sua existência: José Sarney, Marco Antônio Maciel, Antônio Carlos Magalhães, entre outros. Para consolidar a aliança, decidiu-se que José Sarney seria o candidato à vice-Presidência na chapa encabeçada por Tancredo Neves. Como a lei em vigor obrigava o voto fechado em chapa de um único partido, Sarney filiou-se ao PMDB.

A manobra surpreendeu as lideranças do PDS, que não tiveram tempo nem forças para reagir.

Assim, em 15 de janeiro de 1985, Tancredo Neves e José Sarney foram sufragados por 480 votos contra apenas 180, dados a Paulo Maluf, do PDS, registrando-se 26 abstenções.*

Por uma ironia do destino, quem tomou posse, afinal, como se sabe, foi José Sarney, devido à súbita doença de Tancredo Neves, que o levaria à morte em 21 de abril, suscitando outra comoção nacional. Um marco – e um símbolo – do caráter *transicional* do processo que levou da ditadura à democracia no país. Mais do que qualquer outro, Sarney explicitou, nesse momento, e mais uma vez, a importância decisiva da migração política de ex-adeptos da ditadura para posições favoráveis à restauração democrática. No mesmo sentido, foi relevante a solicitação do beneplácito dos ministros militares, já escolhidos por Tancredo, para que apoiassem aquele desfecho inusitado. Acolhida favoravelmente, a gestão não deixou de sublinhar a

* O total excede o número de membros do Congresso Nacional porque participavam do Colégio Eleitoral delegados das assembleias legislativas.

permanência – enviesada – da tutela militar sobre as instituições da República.

Saiu João Figueiredo, entrou Sarney, mas a prioridade da política econômica continuava a mesma: conter a inflação e refinanciar a colossal dívida externa para evitar a moratória, um esforço que parecia perdido. Em fevereiro de 1986, o governo lançou o Plano Cruzado, que congelava preços e salários e inventava uma nova moeda: o cruzado. Os resultados imediatos suscitaram otimismo, sobretudo nas camadas populares, entusiasmadas com seu poder aquisitivo subitamente elevado, o que revelou o duplo caráter do processo inflacionário: confiscador dos salários dos pobres e concentrador da renda nacional, nas mãos dos ricos.

A essa altura, frutos dos acordos firmados no âmbito da Aliança Democrática entre o PMDB e o PFL, foram aprovadas pelo Congresso duas importantes reformas. Em maio de 1985, a Emenda Constitucional n.25 restabeleceu as eleições diretas em todos os níveis – presidencial, estaduais e municipais (no período ditatorial, os prefeitos das capitais e de outras dezenas de cidades haviam passado a ser nomeados). Ao mesmo tempo, reformou a legislação eleitoral, modificando, ligeiramente, os dispositivos fixados pelo "pacote de abril": nenhuma unidade da federação poderia ter mais de sessenta deputados ou menos de oito. Quanto aos territórios, tiveram acrescidas suas bancadas de dois para quatro deputados. Ou seja, embora o "teto" dos grandes estados registrasse uma pequena elevação (de 55 para sessenta), aumentou desproporcionalmente o patamar mínimo dos pequenos e de territórios, favorecendo o voto dos chamados "grotões", onde eram mais fortes as tendências conservadoras.

Pouco depois, em novembro, através da Emenda Constitucional n.26, definiu-se que o pleito seguinte, previsto para novembro de 1986, elegeria um Congresso com poderes constituintes. Também foram revogadas as restrições da reforma aprovada em 1979, ampliando-se consideravelmente as margens para organizar partidos políticos. Como consequência, além dos já existentes, formaram-se mais 23 partidos, entre os quais siglas tradicionais, como o Partido Socialista Brasileiro (PSB) e o Partido Liberal (PL). No embalo, outra novidade – a legalização dos partidos comunistas originados na cisão de 1962: o PCB e o PC do B.[5]

Todas as novas legendas disputaram as eleições de novembro de 1986, criando-se as condições para que a transição política se consumasse com a elaboração e a aprovação de uma nova Constituição.

7. A Constituição de 1988 e a restauração da democracia

A ALEGRIA COM OS EFEITOS do Plano Cruzado durou pouco, não mais do que um ano, mas foi suficiente para que o PMDB, nas eleições de novembro de 1986, elegesse a maior bancada no Congresso e quase todos os governadores, com exceção do estado de Sergipe, onde o PFL venceu. Um triunfo impressionante. Vitória assim nunca mais se repetiria, nem para o PMDB nem para nenhum outro partido.

Votaram 69 milhões de eleitores, cerca de 70% vivendo nas cidades. O PMDB fez 260 (53,16%) deputados; o PFL, seu principal aliado, 118 (24,13%). Ou seja, com os seus 378 deputados (77,29%), os dois partidos da Aliança Democrática já constituíam a maioria dos votos do Congresso Constituinte (489 deputados + 72 senadores = 561 parlamentares), mesmo sem contar com as bancadas no Senado Federal, onde também eram majoritários.* Como formações medianas, apareciam quatro partidos: o PDS, com 33 deputados (6,74%);** o PDT, de Brizola, com 24 (4,90%); o PTB, com dezessete (3,47%); e o PT,

* Participaram dos trabalhos da Constituinte 596 parlamentares: 561 efetivos, mais 25 suplentes de deputados e dez suplentes de senadores. Os dados relativos aos trabalhos da Assembleia Constituinte foram extraídos de duas fontes: o Portal da Câmara dos Deputados e o livro organizado pelo Centro de Documentação e Informação (Cedi) da Câmara dos Deputados em 1992.
** O declínio da ex-Arena, aparentemente expresso nesses números, deve ser relativizado, pois parte importante de seus ex-membros tinha migrado para o PFL ou para outros partidos, inclusive o PMDB.

liderado por Lula, com dezesseis (3,27%). Complementava o quadro uma série de agrupamentos menores com pequenas bancadas: PL, com seis deputados (1,22%); Partido Democrata Cristão (PDC), com cinco (1,02%); PC do B, com quatro (0,81%); PSB, com três (0,61%); e PCB, com três (0,61%).

A tese da Constituinte – a longa marcha de uma proposta vitoriosa

Como referido, o Congresso eleito teria poderes constituintes, fixados em novembro de 1985 por emenda constitucional. Sua instalação, em 2 de fevereiro, era resultado de longa e problemática gestação.

Desde fins dos anos 1960, parlamentares do MDB, apoiados pelo PCB, na clandestinidade, defendiam a Constituinte como indispensável para refundar uma nova ordem democrática. Entretanto, como se viu no Capítulo 3, questionariam, assim como todas as oposições, por inválida e ilegítima, a Constituinte convocada por Castello Branco em fins de 1966, da qual resultou uma nova Constituição, aprovada em 24 de janeiro de 1967, para vigorar a partir de 15 de março desse ano.

O novo estado de direito autoritário, fundado por aquela Constituição, não durou nem dois anos, abolido na prática pela refundação da ditadura, através do AI-5, instituído em dezembro de 1968.

No ano seguinte, na crise instaurada pela doença do general Costa e Silva e no contexto de um novo golpe, quando o vice-presidente, Pedro Aleixo, foi impedido de assumir, os ministros militares, tendo instaurado uma Junta de governo, editaram a

Emenda Constitucional n.1 em outubro de 1969, remodelando o texto constitucional de 1967 e decretando uma nova Constituição.

Esse simulacro de Constituição, assinado apenas pelos ministros militares, regido e sobredeterminado pelo estado de exceção, seria, por sua vez, emendado onze vezes, destacando-se as reformas implementadas pelo general Geisel em abril de 1977 (o "pacote de abril"), com novo recurso a medidas de força e com o Congresso fechado. Quando, portanto, caiu a vigência dos Atos Institucionais, em 1979, esse conjunto de leis constitucionais passou a ser chamado de "entulho autoritário". Era preciso formular, em seu lugar, uma nova Constituição, a ser elaborada por autênticos representantes do povo, livremente eleitos.

A ideia, aparentemente óbvia, suscitava, porém, dúvidas e controvérsias. As forças mais conservadoras e o próprio presidente João Baptista Figueiredo a recusavam, por considerá-la "desestabilizadora". Preferiam adiá-la para as calendas gregas. No outro extremo, com diferentes argumentos, forças radicais de esquerda eram também hostis a uma Constituinte. Sustentavam que, para ser efetivamente livre e autêntica, ela deveria ser precedida por um elenco de condições, consideradas preliminares e indispensáveis. Entre elas, destacavam-se o desmantelamento efetivo dos "órgãos da repressão" e da própria ditadura, que afirmavam ainda existir, a garantia da liberdade irrestrita de organização sindical e partidária e o reconhecimento sem reservas do direito de greve.

Em posições de meio-termo, distintas forças moderadas, agrupadas no PMDB, no PCB e no PC do B, continuavam defendendo, com certa urgência, uma Constituinte que teria por missão libertar o país do cipoal caótico de leis e emendas várias que não mais se sustentavam e que não ofereciam um quadro jurídico seguro para a restauração democrática. Qualquer coisa seria melhor que o "entulho autoritário", desde que aprovada por uma assembleia eleita. Havia também divergências quanto à forma de convocação da Constituinte – haveria de ser uma assembleia unicameral, como estabelecia a melhor tradição democrática, ou o trabalho constitucional deveria ser atribuído a um Congresso eleito normalmente?

Como as divergências eram maiores do que os eventuais consensos, a questão foi sendo empurrada com a barriga. Entretanto, para atender a circunstâncias e interesses, e considerando o quórum baixo instaurado pelo "pacote de abril" (maioria absoluta), entre 1979 e 1985 aprovaram-se mais dezesseis emendas constitucionais. De sorte que a Constituição do país convertera-se numa imensa e mal-ajambrada colcha de retalhos. De outubro de 1969 a novembro de 1985, tinham sido editadas 27 emendas à Carta de 1967.

Assim, quando a Aliança Democrática congregando o PMDB e o PFL fez aprovar a Emenda Constitucional n.26, em novembro de 1985, atribuindo poderes constitucionais ao próximo Congresso Nacional, a ser eleito em novembro do ano seguinte, formou-se grande maioria a seu favor.

Mas houve protestos contra o caráter conservador da convocação. De fato, não sendo a assembleia unicameral, mas dividida entre deputados e senadores, os constituintes não teriam a mesma representatividade, inclusive porque participariam da elaboração da nova Carta os senadores eleitos em 1982,* quando não se cogitava sobre essa questão. Por outro lado, alegava-se

* Os senadores eleitos em 1982 (um terço do Senado Federal) só teriam os mandatos encerrados em 1990.

que uma eleição "normal", como a prevista para novembro de 1986, perderia em conteúdo político e simbolismo, necessários para legitimar a refundação do regime republicano, o que sempre ocorre, ou deveria ocorrer, quando se celebra um novo pacto constitucional. Sem falar nos que continuavam insistindo na necessidade de desmantelar os "órgãos repressivos" e superar de modo definitivo a "tutela militar" como condições para que existisse uma Assembleia Constituinte digna desse título.

Tais objeções, contudo, foram levadas de roldão. Impôs-se a maioria. Mais um marco – um símbolo a mais – do caráter transicional do processo político de restauração democrática no país.

Em 1º de fevereiro de 1987, quando finalmente se instalou o Congresso Constituinte, havia, em quase toda a nação e entre os parlamentares, uma certa euforia com o desenlace dos acontecimentos, considerados positivos para a construção de uma nova ordem democrática. E eram poucas e indistintas as vozes que mantinham questionamentos quanto à validade e à legitimidade daquela Assembleia.

Os trabalhos da Assembleia Constituinte

Foi necessário, preliminarmente, aprovar um regimento interno que regeria os trabalhos dos constituintes. A cacofonia de vozes e interesses que se evidenciou deu um primeiro indício de que nada ali seria fácil. Aprovado o regimento, depois de um mês de longos debates, estabeleceu-se uma metodologia descentralizada: as discussões começariam por comissões – oito temáticas e 24 subtemáticas –, cujas conclusões seriam posteriormente remetidas para uma grande comissão de sistematização, que prepararia um primeiro projeto para discussão e votação pelo plenário, em dois turnos.[1]

A engenharia fora elaborada por lideranças do PMDB, encabeçadas por Mario Covas, líder do partido. A ideia era deixar a discussão rolar nas comissões subtemáticas, consideradas um "teatro" pela crítica conservadora, afunilar para as temáticas e amarrar um projeto na Comissão de Sistematização, que, na prática, teria poucas chances de mudar em plenário. Covas colocou em postos estratégicos das principais comissões homens de sua confiança. Eles constituíam uma ala mais progressista no interior do PMDB, mas era problemático afirmar que seriam, como o próprio Covas, representativos do conjunto do partido.

A primeira etapa dos debates encerrou-se em 14 de junho de 1987, quando as comissões temáticas – reunindo o que fora aprovado pelas subtemáticas – encaminharam os resultados de seus trabalhos ao relator da Comissão de Sistematização, deputado Bernardo Cabral. Dez dias depois, este entregaria um primeiro projeto para discussão no âmbito dessa comissão. Tinha 501 artigos e procurava sintetizar as discussões anteriores.

O documento suscitou comoção entre as tendências conservadoras liberais, entrincheiradas sobretudo na grande mídia e em certos órgãos patronais. Elas estavam alarmadas com os rumos das coisas. Agora, denunciariam derivas estatistas, quando não socializantes, nos trabalhos da Constituinte.

No mundo todo, alegavam, afirmava-se cada vez mais a prevalência das teses de um liberalismo renovado, com seus expoentes nos berços históricos da doutrina – a Inglaterra, liderada por Margaret Thatcher, a chamada *Dama de Ferro*, eleita primeira-ministra em 1979, e os Estados Unidos, de Ronald

Reagan, eleito presidente no ano seguinte. Segundo os conservadores liberais, os constituintes no Brasil pareciam ignorar tudo isso e tomar um caminho oposto.

Em vez das teses caras ao liberalismo, como as do Estado mínimo, da desregulamentação dos mercados financeiros, da privatização de empresas públicas ou estatais, da "flexibilização" do mercado de trabalho, entre outras, que se haviam convertido numa espécie de novo catecismo para o enfrentamento da crise econômica e para a retomada do desenvolvimento, o Brasil aparecia na contramão da história.

A hegemonia do neoliberalismo receberia um reforço inesperado das reformas empreendidas na União Soviética desde março de 1985, quando Mikhail Gorbatchev assumiu a secretaria-geral do Partido Comunista da União Soviética (PCUS). Duas palavrinhas russas correriam o mundo: *perestroika* (reestruturação) e *glasnost* (transparência). Denotavam a crítica que se fazia ao socialismo estatal, marca registrada do modelo soviético, apresentado durante décadas como um exemplo de experiência alternativa de modernização em relação aos padrões liberais. Na União Soviética da segunda metade dos anos 1980, as coisas pareciam invertidas: renovadores e revolucionários eram os que desejavam desmantelar o Estado política e economicamente hipertrofiado, enquanto conservadores e reacionários eram os partidários das tradições encarnadas no socialismo estatal. O livro assinado por Gorbatchev, *Perestroika*, fazia furor em toda parte e se tornou best-seller no Brasil.[2] Os liberais o agitavam como uma "prova" a mais de que suas convicções e propostas eram bem-fundamentadas.

Não faltavam outros exemplos no mesmo sentido. Na Europa ocidental iniciava-se o desmantelamento dos Estados de Bem-Estar Social, símbolo e expressão da cultura política social-democrata; em certos países do "terceiro mundo", comprometidos até então com políticas nacional-estatistas – que tinham o Estado como fator básico de desenvolvimento e de controle do mercado –, implementavam-se políticas de privatização da economia; até mesmo na China popular, com a adoção, em 1978, da política das Quatro Modernizações, que formalizava uma importante – e inédita – abertura para os capitais privados internacionais. Por toda parte triunfavam as teses liberais, que pareciam enterradas até os anos 1960.

Assim, nada mais congruente que as forças liberais esperassem uma Constituição em consonância com o "ar" dos tempos e com os ventos que sopravam em todo o mundo. De mais a mais, o nacional-estatismo era apresentado como um corolário necessário do regime ditatorial. Livres da ditadura, os brasileiros desejariam agora se ver livres também de um Estado opressivo, controlador, minudente e invasor. Uma praga. Assim, a Constituição almejada haveria de ter conteúdo liberal e forma enxuta, uma ruptura – saudável – com décadas de estatismo, sinônimo de obscurantismo e atraso. O irônico é que quase todas essas forças haviam apoiado a ditadura enquanto ela durou e se beneficiado enormemente de todas aquelas características que agora repudiavam.

A grande mídia – jornais e televisões – fazia ecoar esses postulados como se houvessem se tornado "naturais", uma espécie de "imperativo categórico" de uma renovação indispensável para o país domar a inflação, reencontrar o crescimento e, quem sabe, reunir condições para pagar suas dívidas, interna e externa.

Tais expectativas, porém, não se concretizavam no âmbito da Assembleia Constituinte. Com efeito, o projeto apresentado por Bernardo Cabral à Comissão de Sistematização, em junho de 1987, como referido, não era nada enxuto e, pior para os liberais, retomava, em grande estilo, as tradições antiliberais da cultura política nacional-estatista. Além do mais, visava aos interesses do presidente José Sarney, cujo mandato de seis anos era reduzido para quatro, sem falar nas propostas de restauração do parlamentarismo.

As tendências antiliberais, embora minoritárias, apareciam com um ímpeto desproporcional e imprevisto.

De um lado, e maciçamente, as esquerdas, ou seja, o PDT, o PT, o PSB, os comunistas do PCB e do PC do B, e mais a ala progressista do PMDB, liderada por Covas, todos imbuídos das tradições nacional-estatistas e dispostos a mantê-las. Aí se alinhavam também setores conservadores, mas nem por isso menos adeptos do nacional-estatismo, porque tais tradições, como já se verificou, sempre perpassaram, transversalmente, direitas e esquerdas no Brasil e em outras regiões do mundo. Não é gratuito dizer que o nacional-estatismo teve momentos de ouro justamente nos períodos ditatoriais governados por Médici e Geisel, sendo que, durante a gestão deste último, encontraria mesmo o seu apogeu histórico (pelo número e valor das empresas estatais).

Os debates na Comissão de Sistematização prolongaram-se de 26 de junho a 14 de julho, resultando num texto com 496 artigos. No dia seguinte, ele seria encaminhado ao plenário pelo presidente da Constituinte, deputado Ulysses Guimarães, abrindo-se um prazo de quarenta dias para que fosse discutido em primeiro turno.

Apresentaram-se milhares de emendas: 20.791, das quais 122 de iniciativa popular (encaminhadas por um determinado conjunto de cidadãos e de entidades de representação), reunindo cerca de 12 milhões de assinaturas e mais 5.237 transferidas da fase anterior,[3] o que dá a medida da atenção e das controvérsias suscitadas pelos debates em curso.

Em 23 de agosto, o projeto voltou à Comissão de Sistematização, onde recebeu um parecer do relator, dando-se início a novos debates, incluindo-se aí o das emendas de iniciativa popular.

A essa altura, o Congresso tornara-se objeto de pressões e contrapressões em que se disputavam os votos dos parlamentares. Segundo o presidente da Assembleia, citando dados de sua secretaria, cerca de 10 mil pessoas, diariamente, percorriam corredores e salas lutando por seus interesses, assediando, persuadindo, barganhando, cabalando votos. Havia ali "de um tudo": grupos de pressão (os chamados lobbies) de distinta natureza, agindo em nome dos trabalhadores e das grandes corporações privadas, nacionais e estrangeiras; representantes das agências estatais, de funcionários públicos civis e militares; de organizações femininas e estudantis; de entidades de defesa do meio ambiente e das nações indígenas. Sem contar as mobilizações populares, fora e dentro do Congresso, em favor das respectivas demandas. Nas galerias, acompanhando de perto discursos e votações com vaias e aplausos, ou acampando nos gramados adjacentes às duas Casas do Congresso Nacional, em Brasília, milhares de pessoas acompanhavam, mesmo que indiretamente, a elaboração da Constituição.

Em 24 de setembro, iniciaram-se as votações na Comissão de Sistematização. Só teriam fim em 18 de novembro, após a apreciação de 2.612 destaques, num total de 535 votações. Cerca de uma semana depois, numa cerimônia especial, era entregue ao presidente da Constituinte uma primeira versão da Constituição, o chamado Projeto A. Tinha 335 artigos (271 disposições permanentes e 64 disposições transitórias) e formulava cerca de 1.800 dispositivos legais, entre parágrafos e incisos.

Insatisfeitas com o resultado, várias lideranças, pouco depois, em começos de dezembro de 1987, constituíram um conglomerado – majoritário – de parlamentares conservadores de diversos partidos, autodenominado Centro Democrático, o chamado *Centrão*. Reunia 290 deputados, provenientes do PMDB (quase metade da bancada), do PFL, do PDS, do PTB, do PL, do PDC e mesmo alguns poucos do PDT.* O objetivo principal, a curto prazo, era reformular o regimento interno, o que ensejaria a derrubada da engenharia política elaborada por Mario Covas e a reabertura, considerada estratégica, da questão relativa à metodologia dos debates. O que os preocupava, como referido, eram as derivas a favor das teses nacional-estatistas e dos interesses populares. Queriam discutir melhor, em especial, os direitos trabalhistas, a política de reforma agrária e a organização do sistema financeiro. Também eram partidários do mandato ampliado para o presidente José Sarney. Refletindo sobre o *Centrão*, uma autora o classificou como governista e conservador, hostil às teses nacionalistas e populares.[4] Entretanto, *et pour cause*, a grande mídia o apoiou com entusiasmo, acusando-se o projeto constitucional apresentado de pré-histórico e os constituintes favoráveis a ele de dinossauros.

Radicalizavam-se as disputas.

Após o recesso de fim de ano, os trabalhos foram retomados no dia 3 de janeiro, e aí, após acalorados debates, o *Centrão*

* Os principais líderes do conglomerado eram José Bonifácio de Andrada (PDS), Expedito Machado (PMDB), Ricardo Fiúza (PFL), Gastone Righi (PTB) e Roberto Cardoso Alves, o Robertão (PMDB).

fez valer sua força, aprovando uma reforma regimental que favorecia suas concepções. Uma virada de mesa.* Tratava-se de viabilizar a aprovação de substitutivos inteiros ao projeto formulado pela Comissão de Sistematização. Reabertas as discussões no âmbito dessa comissão, resultaram em novo parecer do relator, apresentado em 20 de janeiro de 1988. Uma semana depois, dava-se início à discussão e à votação plenária do projeto em primeiro turno. Ela se encerraria em 20 de abril, quando se instalou uma Comissão de Redação, incumbida de rever jurídica e literariamente o texto final.

Voltando ao plenário, essa versão seria aprovada em 5 de julho, com 322 artigos (245 de disposições permanentes e 77 disposições transitórias). Ainda haveria um segundo turno de votações, encerrado em 1º de setembro. Duas semanas depois, foi aberto um derradeiro prazo apenas para propostas de redação. Finalmente, em 22 de setembro, foi a votação e a aprovação o texto final.

A promulgação, solene, seria em 5 de outubro de 1988.

Na contracorrente do movimento predominante em escala mundial, a Constituição brasileira, embora com alguns importantes senões, acabou consagrando as teses e tradições nacional-estatistas com um viés favorável às demandas dos trabalhadores e das chamadas classes populares.

---

* Desgastado com as inclinações conservadoras do PMDB e sentindo-se desprestigiado pela participação maciça de peemedebistas no *Centrão*, Mario Covas acabou renunciando à condição de liderança. Na sequência, e pelos mesmos motivos, ainda no contexto da Constituinte, em fins de junho de 1988 um conjunto de lideranças do PMDB sairia do partido para organizar o Partido da Social-Democracia Brasileira (PSDB).

Já desde o preâmbulo afirmava-se que os representantes do povo tinham se reunido para instituir um "Estado democrático" destinado a assegurar o exercício dos "direitos sociais e individuais". Em seguida, no título II, dos direitos e garantias fundamentais, dispunha dos direitos e deveres individuais e coletivos. A grande novidade, porém, viria no Capítulo II desse título, quando da formulação dos direitos sociais: educação, saúde, alimentação, trabalho, moradia, lazer, segurança, previdência social, proteção à maternidade e à infância, assistência aos desamparados, todas essas questões eram apresentadas como "direito de todos e dever do Estado". No título VIII, sobre a ordem social, afirmava-se o primado do trabalho e os objetivos do bem-estar e da justiça sociais. O conceito de seguridade social, abrangendo saúde, previdência e assistência sociais, além da universalização do SUS, era outro ponto forte de uma Constituição que se queria sensível à "questão social".

Entrecruzavam-se aí as referências caras ao nacional-estatismo popular e à social-democracia internacional. Resgatavam-se os princípios orientadores do Estado de Bem-Estar Social, que parecia em declínio ou francamente batido em grande parte do mundo.

No entanto, as alas mais radicais presentes na Constituinte, representadas pelo PT, criticariam duramente a não aprovação de propostas que elas consideravam essenciais, como a jornada de trabalho de quarenta horas (passou a de 44 horas), antiga reivindicação dos trabalhadores de todo o mundo, formulada ainda no século XIX; a extinção ou o pagamento em dobro das horas extras (elas foram mantidas, com gratificação de apenas 50%); o salário em dobro nas férias (foi aprovado o abono de um terço); a estabilidade no emprego. Mantiveram-se na Constituição as disposições formuladas pela ditadura, confirmando-se aí a maioria do *Centrão*.*

No que dizia respeito à estrutura sindical, contudo, não havia o que lamentar: a vitória fora ampla e irrestrita. As lideranças sindicais já não falavam que a CLT era o AI-5 dos trabalhadores, muito pelo contrário, demandou-se a permanência do corporativismo sindical e de seu aspecto central, a unicidade – representação única em dada base territorial, mas, agora, com a exclusão do tradicional intervencionismo estatal. Tudo isso foi aprovado. Também foi mantido o principal meio de sustentação dos sindicatos – o imposto sindical, descontado compulsoriamente de todos os trabalhadores, mesmo que não sindicalizados. Não só foi preservado, como acrescido por outra modalidade de arrecadação, a contribuição sindical, a ser fixada em assembleia da categoria.** Confirmava-se, assim, a autonomia dos dirigentes e das burocracias sindicais frente às respectivas bases. Os trabalhadores de um determinado território, sindicalizados ou não, não tinham alternativas a não ser sustentar o sindicato único existente, mesmo que fossem contrários à sua existência ou às suas orientações. Na área social, foi também relevante a manutenção do FGTS, outra lei da ditadura contra a qual se elevaram

---

* Em determinado momento, em julho de 1988, setores do PT chegaram a caracterizar a Constituição como "direitista e reacionária", caso se concretizasse a rejeição aos direitos sociais, como ameaçavam alguns líderes do *Centrão*. Mais tarde, e mesmo depois de conquistar significativas concessões, a bancada do PT resolveu votar contra a aprovação do texto, considerado em seu conjunto. Entretanto, depois de muita discussão, os deputados petistas concordaram em assinar o texto constitucional, legitimando a Assembleia da qual tinham participado.

** Mais tarde, no entanto, o STF determinou que essa contribuição seria extensiva apenas aos trabalhadores sindicalizados.

protestos na época de sua formulação, mas que permaneceu – e permanece até hoje – com foros constitucionais.

No título referente à organização dos poderes, Sarney conseguiu uma pequena vitória: perdeu um ano, mas conseguiu manter o mandato presidencial em cinco anos, mais uma herança da ditadura,* e também o regime presidencialista.** Contudo, as regras eleitorais definidas pelo "pacote de abril" não foram essencialmente alteradas, reiterando-se os termos das Emendas Constitucionais n.25 e n.26, de maio e novembro de 1985, elevando-se, porém, o número de deputados para 513 e o teto de deputados por estado para setenta (antes era de sessenta). Nas mútuas concessões entre pequenos e grandes estados, subsistia, no entanto, a orientação conservadora de privilegiar as áreas rurais e os pequenos estados, assegurando-se representação desproporcional a favor desses últimos.

Houve outras heranças do regime ditatorial, como a centralização do poder nas mãos do Executivo (iniciativa de leis, medidas provisórias, distribuição de recursos e impostos etc.). Um processo que já vinha de longe, mas fora aperfeiçoado e consolidado pela ditadura. Alguns argumentavam que se tratava de uma tendência histórica inevitável. Outros a associavam à lógica nacional-estatista. O fato é que era mais um elo a prender ao passado uma Constituição que se queria voltada para o futuro. Segundo o que fora aprovado, as prerrogativas

* Entretanto, em protesto contra as ambiguidades do PMDB, Sarney desligou-se do partido em junho de 1988.

** Foi aprovado, porém, um plebiscito sobre o regime (república ou monarquia) e o sistema de governo (presidencialismo ou parlamentarismo). Organizado em 21 de abril de 1993, resultou em amplas vitórias do regime republicano e do sistema presidencialista.

do Congresso – sua capacidade de discutir e controlar o Executivo – saíam profundamente diminuídas.

No tratamento da questão da propriedade privada e da reforma agrária, as esquerdas também seriam derrotadas. Com efeito, ao excluir a hipótese de desapropriação das terras "produtivas", a nova Constituição significou uma regressão em relação ao Estatuto da Terra que Castello Branco fizera o Congresso aprovar em 1965. Em outras questões, igualmente – como a posse e o uso do solo urbano, o sistema financeiro, a reforma do Judiciário e do direito tributário –, as propostas reformistas das esquerdas foram vencidas pelo rolo compressor das direitas, vertebradas pelo *Centrão*.

No que dizia respeito à sensível questão do papel dos militares na vida republicana, foi mantida a Justiça Militar, corporativista, único foro juridicamente capaz de retirar postos e patentes de oficiais. Como se fora um Estado dentro do Estado. O mais inquietante, porém, era a formulação do artigo 142, atribuindo às corporações militares o direito de "garantir os poderes constitucionais" e, "por iniciativa de qualquer destes, a lei e a ordem". Assim, a tutela militar sobre a ordem civil, inscrita na gênese da República, era reproduzida e consagrada constitucionalmente. Em relação a essa questão espinhosa, passava-se como gato sobre brasas. O próprio líder do PT, Luiz Inácio Lula da Silva, ao criticar a Constituição, mal se referiu à "questão militar", como se estivesse tocando numa ferida ainda aberta que mais valeria deixar cicatrizar do que ficar lacerando.

Na esfera dos direitos políticos, porém, registraram-se progressos democráticos, através de uma notável ampliação do corpo eleitoral com a inclusão dos maiores de dezesseis anos e dos analfabetos (na época, ainda eram 25% dos adultos), embora fosse facultativo o voto desses segmentos. Quanto aos partidos políticos, consagrava-se a liberdade de organização interna, livrando-os de legislações anteriores invasivas, embora se mantivessem relativamente rigorosas as condições para a formação de partidos políticos no país.

No discurso proferido quando da promulgação da Constituição, Ulysses Guimarães a chamou de "Constituição cidadã", manifestando seu "nojo" aos regimes ditatoriais. Enfatizou os direitos – civis, políticos, sociais, coletivos, ambientais – como um progresso qualitativo. Ao se referir à necessidade de numerosas leis complementares, sem as quais os direitos enunciados não seriam garantidos, celebrou a criação do "mandado de injunção", dispositivo que, acionado, poderia, através do Poder Judiciário, efetivar princípios constitucionais ainda não regulamentados.* Em relação à proteção dos indivíduos, mencionou o direito à petição e à informação e o *habeas data*, conferindo a todos o direito de saber as informações disponíveis no Estado a seu respeito e a possibilidade de, eventualmente, solicitar a sua correção. Em certo momento, empolgado, Ulysses chegou a falar em "primado da sociedade sobre o Estado", mas aí, como era de seu feitio, já estava no terreno das licenças poéticas.

É certo, no entanto, sobretudo nos artigos referentes aos direitos sociais e individuais, que a cidadania ganhava generosas formulações e proteções formais. A proclamação da igualdade entre homens e mulheres, a condenação, sem reservas, do racismo, considerado crime inafiançável e imprescritível, e

* Na prática, essa novidade não funcionou. Numerosos mandados de injunção foram derrotados pelo STF.

a defesa das terras indígenas podiam ser registradas também como saldos positivos do trabalho constitucional.

No entanto, havia ali ambiguidades. Naquele emaranhado de dispositivos (250 artigos e mais parágrafos e incisos, acompanhados de 97 artigos de "disposições transitórias", também com respectivos parágrafos e incisos), concessões entrelaçadas não raro se contradiziam.

A ordem nacional-estatista era consagrada e reforçada, com a centralização dos poderes, a hipertrofia do Executivo, a tutela militar remanescente, as prerrogativas e os privilégios dos representantes eleitos e o corporativismo sindical. Diante desses "podres poderes", haveria efetivos espaços – constitucionalmente incentivados e protegidos – de participação para as cidadãs e os cidadãos?

Não é que fosse apenas grande a distância entre "a teoria e a prática". Mesmo que o texto constitucional não ganhasse imediata concretização, dependendo de leis complementares,* era sempre melhor tê-lo a favor do que contra as liberdades e os direitos da cidadania. A questão era saber em que medida a lógica das tradições nacional-estatistas, incorporando notáveis – e inquietantes – legados do período ditatorial, não se constituiria no futuro – porque já inscrita no texto constitucional – uma ameaça aos direitos e liberdades formalmente enunciados.

Apesar dessas ressalvas e dúvidas, o fato é que o país entrava agora numa nova fase histórica. Encerrava-se a longa e acidentada transição da ditadura à democracia, de quase dez anos, e tinha início um período regido pelo estado de direito democrático.

* Segundo Lula, havia cerca de duzentos dispositivos que careciam, para se efetivarem, de leis complementares.

À maneira de posfácio: reflexões sobre ditadura e democracia no Brasil

Na instalação dos trabalhos constituintes, em fevereiro de 1987, Ulysses Guimarães, à guisa de constatação e vaticínio, disse: "A nação quer mudar, a nação deve mudar, a nação vai mudar." Cerca de um ano e meio depois, em outubro de 1988, quando da solene promulgação da "Constituição cidadã", o velho político tornou a registrar, comovido e otimista: "A nação mudou."

Quando este livro for publicado, já terão se passado mais de 25 anos do dia em que essas palavras foram proferidas. E cinquenta anos do dia em que, em nome da liberdade e da democracia, instaurou-se uma ditadura que durou longos quinze anos.

Não há o que discutir: a nação mudou. Mudou profundamente. A Constituinte e a Constituição exprimiram essa mudança, modelando, através da refundação do pacto republicano-democrático, outras transformações que haveriam de vir.

Resta caracterizar melhor essa mudança. Refletir sobre o seu sentido. Interpretá-lo. Para que se possa sondar o futuro.

Entre 1960 e 2014, o Brasil virou de ponta-cabeça.

O país agrário tornou-se urbano. O arquipélago de cidades e regiões, ainda dispersas e fragmentadas, interligou-se, integrou-se. Em boa medida, depois da criação de Brasília, mudou igualmente a correlação entre o "interior" e o "litoral". A paisagem social transformou-se por meio de migrações maciças, do ingresso das mulheres no mercado de trabalho, do protagonismo cada vez maior das populações negras e pardas. Operou-se uma mutação demográfica – em poucas décadas, realizou-se um processo que levou séculos em outros países, alterando-se, de forma consistente, as taxas de nascimento e de mortalidade, a proporção relativa de crianças, jovens, adultos e idosos.

A economia mudou de patamar, dando um salto de qualidade. Constituiu-se uma base industrial integrada e uma agricultura moderna, formada por unidades voltadas para a exportação. No campo da educação e da cultura, estruturou-se um sistema de pós-graduação atualizado, aumentando de modo substancial a população matriculada nos vários níveis de ensino. Mudou, em consequência, o patamar do país na América Latina e no mundo: de um lugar excêntrico, localizado num indeterminado extremo-ocidente, a candidato, algo pretensioso, a uma posição de protagonismo internacional.[1]

Politicamente, aconteceu o imprevisível. Depois de eleger presidente, em 1989, na pessoa de Fernando Collor de Mello, um *ersatz* de Jânio Quadros, com trejeitos parecidos, iguais tendências autoritárias e semelhante isolamento político-partidário, o país elegeu um sociólogo refinado, Fernando Henrique Cardoso,* um líder operário, Luiz Inácio Lula da Silva, e uma mulher, ex-guerrilheira, Dilma Rousseff. Nos anos 1960, há meio século, ninguém poderia imaginar que, de modo pacífico, através de processos eleitorais disputados com liberdade, essas pessoas pudessem aceder à Presidência da República.

---

* Atribui-se a Ulysses Guimarães a frase de que FHC poderia almejar a Presidência da República, mas... na Noruega.

Numa revolução que não disse o seu nome, anônima, sem datas precisas, épicas, sem claros divisores de água, de forma molecular, o país virou pelo avesso, refez-se uma cara. E mudou. No entanto, de forma entrelaçada, e resistente, modificadas e subvertidas, mas não superadas, subsistiram linhas de força, constantes.

Não se alteraram as profundas desigualdades, regionais e sociais. Apesar dos recentes progressos na distribuição de renda e na maior participação dos salários na renda nacional, recuperando-se patamares dos anos 1960 que pareciam perdidos para sempre, o país continua, segundo dados das organizações internacionais, um dos mais desiguais neste mundo extremamente desigual.

Não mudou o padrão de desenvolvimento econômico e não foram abandonadas as concepções produtivistas, predadoras da natureza, apesar dos enunciados constitucionais de proteção ao meio ambiente e dos progressos – ainda tímidos – no controle do desmatamento, cuja sanha obtusa permanece impune. Da mesma forma, os eixos de desenvolvimento continuaram os mesmos, fundados na construção civil e na indústria automobilística, verdadeiras *locomotivas* do desenvolvimento industrial desde os tempos de JK, na segunda metade dos anos 1950, convertendo as cidades e a vida urbana num ambiente poluído e hostil à vida e à convivência humanas.

Tais padrões e concepções, hegemônicos, migraram, conforme é de sua natureza, para outras áreas, entre elas a educação e a cultura, cada vez mais regidas por referências e termos provindos do mundo econômico. Assim, professores, artistas e intelectuais já não fazem, pensam ou escrevem, *produzem*. E sua *produtividade* é medida, sobretudo, por critérios quantitativos.

No contexto da revolução informática, iniciada em meados dos anos 1960, atualmente em pleno curso, a velocidade ganha, e os níveis de produtividade adquiridos não têm gerado tempos dedicados à reflexão, à contemplação e ao bem-viver. Ao contrário, trata-se de produzir mais e mais, sem que se saiba exatamente por que e para onde se caminha.

O *santo milagreiro* desse processo é o Estado hipertrofiado. Sua filosofia é o nacional-estatismo, uma cultura política arraigada, com adeptos à esquerda e à direita, atravessando as conjunturas, redefinindo-se, refazendo-se sempre, revigorado, revigorando-se. Associado, o corporativismo estatal, solicitado pelas lideranças dos trabalhadores, também é consagrado e reforçado constitucionalmente. Tornaram-se ambos, Estado e corporativismo estatal, fundamentos básicos da sociedade, parecendo indestrutíveis neste início de novo século.

No interior do Estado, um Estado dentro do Estado, as Forças Armadas. Com seus próprios tribunais, escolas e academias, e suas hierarquias, solidárias e impenetráveis, os militares não se consideram nem são considerados funcionários públicos uniformizados, mas anjos tutelares da República. Em grande medida, tais critérios, como se viu, também se inscreveram na Constituição. A eles têm se curvado, humildes e reverentes, sucessivos governos democraticamente eleitos.

Pois foi nessa atmosfera, "tudo junto e misturado", que se forjou uma nação e uma sociedade. Fez-se um país.

Resta uma incógnita, incômoda e inquietante.

E a ditadura? Que papel histórico desempenhou a ditadura?

Um dia, um poeta disse: "Tinha uma pedra no meio do caminho/ no meio do caminho tinha uma pedra."[2]

Em relação ao entrelaçamento de rupturas e permanências, poder-se-ia parafraseá-lo: "Havia uma ditadura no meio desta história/ no meio desta história havia uma ditadura."

A ditadura mais recente, instaurada em 1964, não foi curta, durou quinze anos, até 1979. Sucedeu a uma outra, quase apagada no tempo, a do Estado Novo, entre 1937 e 1945. As duas, juntas, somaram 22 anos, quase o espaço de uma geração. Ambas protagonizaram grandes mudanças. Períodos de modernização acelerada. De crescimento econômico vertiginoso. De mutações sociais. Criaram-se na primeira e se consolidaram na segunda: o Estado hipertrofiado, a cultura política nacional-estatista, o corporativismo estatal, as concepções produtivistas, a tortura como política de Estado. Quanto à tutela das Forças Armadas, vem de antes, desde a gênese da República, mas as ditaduras, sem dúvida, a confirmaram e reforçaram.

De sorte que é impossível pensar este país, a história deste país, sem refletir sobre a ditadura, ou sobre as ditaduras, porque são elos de uma mesma corrente. Consideradas em perspectiva, é difícil negar que desempenharam um papel essencial. Assinale-se que, tanto uma como a outra, foram instauradas quase sem um tiro e deixaram de existir suave e pacificamente.

Por incrível que pareça, elas não foram construídas por extraterrestres nem por "monstros", e sim por seres humanos, aliás, eram brasileiros natos. Foram sustentadas por eles, ou por uma parte deles, e só duraram o tempo que eles, ou uma parte deles, quiseram que durassem.

Não adianta quebrar o espelho retrovisor. E olhar, inocente e candidamente, para o futuro. A ditadura – ou as ditaduras – não está apenas "lá", no passado, mas "aqui", condicionando o presente e, por seu intermédio, moldando o futuro. E tanto mais suas características terão chances de permanecer quanto mais a sociedade silenciar sobre ela – ou sobre elas – ou fingir ignorá-las.

Este livro pretendeu apresentar uma narrativa crítica sobre a história da ditadura mais recente: como se instaurou, se vertebrou e alcançou um certo apogeu, para declinar e se retirar, em boa ordem. É certo que, no período final, os capitães que estavam no leme se sentiram ultrapassados, pilotando um processo que lhes fugia ao controle, inclusive porque muitos dos seus camaradas pulavam do barco, a engrossar forças oposicionistas cada vez mais diversas. Depois, houve longa transição, consumada por uma nova Constituição que forjou um estado de direito democrático tendo, em seus flancos (ou em seu coração?), legados indeléveis fixados ou consolidados no regime ditatorial.

O que se quis dizer, em síntese, foi o seguinte: não há como se libertar da ditadura sem pensar nela. Nos medos dos quais ela foi produto, nas marcas, visíveis a olho nu, que ela gravou – com ferro em brasa – no lombo da sociedade. O pensamento crítico pode constituir a melhor defesa da democracia, à maneira de um antídoto às tentações autoritárias, sempre à espreita, prontas a ressuscitar tão logo reapareçam no horizonte novas crises e outras ameaças à ordem.

Cronologia

1960

Outubro, 3. Eleições: Jânio Quadros e João Goulart, o Jango, elegem-se presidente e vice-presidente da República, em chapas diferentes.

1961

Agosto, 25. Renúncia de Jânio Quadros.

Setembro, 7. Posse de Jango como presidente, nos termos do regime parlamentarista aprovado por emenda constitucional pelo Congresso Nacional em 2 de setembro (primeiro-ministro: Tancredo Neves).

1962

Janeiro, 22. Conferência Interamericana de Punta del Este, no Uruguai, exclui Cuba da OEA. Brasil vota contra a posição dos Estados Unidos. É a Política Externa Independente (PEI), formulada desde o ano anterior.

Outubro, 3. Eleições para governos estaduais. O Congresso Nacional assegura maioria às forças conservadoras, embora as esquerdas registrem crescimento relativo.

Dezembro, 30. O economista Celso Furtado apresenta o Plano Trienal de Desenvolvimento Econômico e Social.

1963

Janeiro, 6. Plebiscito antecipado consagra volta ao regime presidencialista.

1964

Março, 13. Comício pelas reformas no Rio de Janeiro.

Março, 19. Primeira Marcha da Família com Deus pela Liberdade.

Março, 31. Começa o golpe de Estado contra o presidente João Goulart.

Abril, 9. O autointitulado Comando Supremo da Revolução (Junta dos três ministros militares) edita um Ato Institucional, instaurando o estado de exceção, a ditadura.

Abril, 11. Posse do general Humberto de Alencar Castello Branco, primeiro general-presidente, eleito pelo Congresso Nacional. Como vice-presidente, José Maria Alkmin, do PSD mineiro.

1965

Outubro, 27. Edição do AI-2. Extinção dos partidos políticos. Bipartidarismo. As eleições presidenciais passam a ser indiretas.

1967

Janeiro, 24. Promulgada nova Constituição pelo Congresso Nacional.

1968

Junho, 26. Passeata dos Cem Mil, no Rio de Janeiro.
Dezembro, 13. Edição do AI-5. Dissolução do Congresso Nacional. Tem início o "milagre econômico" brasileiro, até 1973 (crescimento em alta, inflação em queda).

1969

Setembro, 4. Grupos guerrilheiros capturam o embaixador estadunidense no Rio de Janeiro. A ditadura cede às exigências dos revolucionários: leitura de manifestos à nação e libertação de quinze presos políticos.
Outubro, 22. Reaberto o Congresso Nacional para consagrar o general Emílio Garrastazu Médici como novo presidente da República (vice-presidente: almirante Augusto Rademaker), devido à doença do general Arthur da Costa e Silva.
Novembro, 4. Carlos Marighella, dirigente revolucionário da ALN, é assassinado em São Paulo.

1970

Junho, 26. A seleção brasileira conquista o tricampeonato mundial de futebol. Euforia patriótica.
Novembro, 15. Eleições para prefeitos, assembleias estaduais e câmaras municipais. Vitória da Arena, com alta proporção de votos brancos e nulos.

1971

Setembro, 17. O capitão Carlos Lamarca, ligado ao MR-8, é assassinado no interior da Bahia.

1972

Abril a setembro. Sesquicentenário da Independência do Brasil. Fervor patriótico. Apogeu dos anos de ouro – e de chumbo – da ditadura. Descoberto um foco guerrilheiro na região do Araguaia, na Amazônia. Sucessivas campanhas terminarão por destruí-lo até fins de 1973.

1973

Outubro. Primeiro choque do petróleo.

1974

Março, 15. Assume a Presidência da República o general Ernesto Geisel (vice-presidente: general Adalberto Pereira dos Santos). Política de distensão lenta, segura e gradativa.
Agosto, 15. Restabelecimento das relações diplomáticas com a República Popular da China. Política do pragmatismo responsável.
Setembro, 10. Geisel envia ao Congresso Nacional o II PND.
Novembro, 15. Eleições para o Congresso Nacional e para as assembleias legislativas. Vitória do MDB nas eleições majoritárias (para o Senado Federal) e nas grandes cidades.

1975

Outubro, 25. Assassinato do jornalista Vladimir Herzog, em São Paulo. IBGE anuncia que o país tem 105 milhões de habitantes.

1976

Janeiro, 19. Depois do assassinato do operário Manoel Fiel Filho, em São Paulo, Geisel demite o general Ednardo D'Ávila Mello do comando do II Exército.
Janeiro, 20. Jimmy Carter assume a presidência dos Estados Unidos.

1977

Abril, 1º. Geisel decreta o recesso do Congresso Nacional e edita uma série de reformas nos dias 13 e 14 (o "pacote de abril").
Junho, 15. Por emenda constitucional, o Congresso Nacional aprova a instituição do divórcio.
Outubro, 12. Geisel demite Sylvio Frota, ministro do Exército.

1978

Maio, 12. Greve operária em São Bernardo do Campo (SP), iniciada por 1.600 operários da Scania-Vabis.

Dezembro, 31. Extinta a vigência dos Atos Institucionais. Encerra-se a ditadura e se inicia o período de transição democrática.

1979

Agosto, 28. Sancionada a Lei da Anistia.

Novembro, 29. Aprovada a Lei da Reforma Partidária. Extinção do bipartidarismo.

1980

Inflação alcança o patamar de 100%.

1981

Maio, 1º. Atentado frustrado no Riocentro, no Rio de Janeiro. Os responsáveis, agentes do DOI-Codi, seriam absolvidos.

1982

Novembro, 15. Eleições gerais para governadores, prefeitos, Congresso Nacional, assembleias legislativas e câmaras municipais. As oposições elegem dez governadores.

1983

Julho, 21. Primeira greve geral dos trabalhadores brasileiros depois de 1964.

Agosto, 26-28. Conclat.

Novembro, 27. Primeiro comício pelas Diretas-Já, São Paulo.

1984

Abril, 16. Último comício das Diretas-Já, São Paulo: cerca de 1,5 milhão de pessoas.

Abril, 24. A emenda constitucional que previa a volta das eleições diretas é aprovada por grande parte dos deputados, mas não alcança o quórum da maioria absoluta por 22 votos.

1985

Janeiro, 15. Tancredo Neves e José Sarney, do PMDB, são eleitos pelo Congresso Nacional para a Presidência e vice-Presidência da República.

Março, 15. José Sarney toma posse como presidente da República, em virtude de doença súbita de Tancredo Neves.
Inflação anual atinge 218,24%.

1986

Fevereiro, 28. Para combater a inflação, o presidente José Sarney anuncia o Plano Cruzado e a criação de uma nova moeda, o cruzado.
Novembro, 15. Eleições para a renovação do Congresso Nacional, que terá poderes constituintes.

1988

Outubro, 5. Promulgação de uma nova Constituição para o país, a "Constituição cidadã". Encerra-se o período de transição democrática.

Lista de siglas

ABI – Associação Brasileira de Imprensa
Aerp – Assessoria Especial de Relações Públicas
AI-2 – Ato Institucional n.2
AI-3 – Ato Institucional n.3
AI-5 – Ato Institucional n.5
ALN – Ação Libertadora Nacional
AMFNB – Associação dos Marinheiros e Fuzileiros Navais do Brasil
Apra – Aliança Popular Revolucionária Americana
Arena – Aliança Renovadora Nacional
BB – Banco do Brasil
BID – Banco Interamericano de Desenvolvimento
BNDE – Banco Nacional de Desenvolvimento Econômico
BNH – Banco Nacional da Habitação
Capes – Coordenação de Aperfeiçoamento de Pessoal de Nível Superior
Cebrap – Centro Brasileiro de Análise e Planejamento
Cedi – Centro de Documentação e Informação
CEF – Caixa Econômica Federal
CGT – Confederação Geral dos Trabalhadores
CIE – Centro de Informações do Exército
CLT – Consolidação das Leis do Trabalho
CNBB – Conferência Nacional dos Bispos do Brasil
CNPq – Conselho Nacional de Desenvolvimento Científico e Tecnológico
CNV – Comissão Nacional da Verdade
Codi – Centro de Operações de Defesa Interna
Conclat – Conferência Nacional das Classes Trabalhadoras
CPDoc – Centro de Pesquisa e Documentação de História Contemporânea do Brasil
CPI – Comissão Parlamentar de Inquérito
CSN – Companhia Siderúrgica Nacional
CUT – Central Única dos Trabalhadores
DI-GB – Dissidência Comunista da Guanabara

DOI – Destacamento de Operações e Informações
Embrafilme – Empresa Brasileira de Filmes Sociedade Anônima
ESG – Escola Superior de Guerra
FEB – Força Expedicionária Brasileira
FGTS – Fundo de Garantia do Tempo de Serviço
FGV – Fundação Getulio Vargas
FHC – Fernando Henrique Cardoso
Finep – Financiadora de Estudos e Projetos
FMI – Fundo Monetário Internacional
Funarte – Fundação Nacional de Artes
Funrural – Fundo de Assistência ao Trabalhador Rural
IBGE – Instituto Brasileiro de Geografia e Estatística
Ibope – Instituto Brasileiro de Opinião Pública e Estatística
INPS – Instituto Nacional de Previdência Social
Ipês – Instituto de Pesquisa e Estudos Sociais
IPM – Inquérito Policial-Militar
IS – Internacional Socialista
LSN – Lei de Segurança Nacional
MDB – Movimento Democrático Brasileiro
Mobral – Movimento Brasileiro de Alfabetização
MPB – Música Popular Brasileira
MPLA – Movimento Popular de Libertação de Angola
MR-8 – Movimento Revolucionário 8 de Outubro
OAB – Ordem dos Advogados do Brasil
OEA – Organização dos Estados Americanos
ONU – Organização das Nações Unidas
OUA – Organização da Unidade Africana
Paeg – Programa de Ação Econômica do Governo
Pasep – Programa de Formação do Patrimônio do Servidor Público
PCB – Partido Comunista Brasileiro
PC do B – Partido Comunista do Brasil
PCUS – Partido Comunista da União Soviética
PDC – Partido Democrata Cristão
PDS – Partido Democrático Social
PDT – Partido Democrático Trabalhista
PEI – Política Externa Independente
PFL – Partido da Frente Liberal
PIN – Programa de Integração Nacional

PIS – Programa de Integração Social
PL – Partido Liberal
PMDB – Partido do Movimento Democrático Brasileiro
PNB – Produto Nacional Bruto
PND – Plano Nacional de Desenvolvimento
PNS – Plano Nacional de Saúde
PP – Partido Popular
PSB – Partido Socialista Brasileiro
PSD – Partido Social Democrático
PSDB – Partido da Social-Democracia Brasileira
PT – Partido dos Trabalhadores
PTB – Partido Trabalhista Brasileiro
PUC-SP – Pontifícia Universidade Católica de São Paulo
SNI – Serviço Nacional de Informações
SNT – Serviço Nacional de Teatro
STF – Supremo Tribunal Federal
STM – Supremo Tribunal Militar
Sudene – Superintendência do Desenvolvimento do Nordeste
SUS – Sistema Único de Saúde
TFR – Tribunal Federal de Recursos
UDN – União Democrática Nacional
UEE – União Estadual dos Estudantes
UnB – Universidade Nacional de Brasília
UNE – União Nacional dos Estudantes
URSS – União das Repúblicas Socialistas Soviéticas
VPR – Vanguarda Popular Revolucionária

Notas

1. Ditadura no Brasil: uma incômoda e contraditória memória (p.7-16)

1. Fernando Gabeira, *O que é isso companheiro?*.
2. Entre outras, cf. Alfredo Sirkis, *Os carbonários*; Álvaro Caldas, *Tirando o capuz*; Alex Polari, *Em busca do tesouro*.
3. Arquidiocese de São Paulo, *Brasil: nunca mais*.
4. Lício Maciel e José Conegundes do Nascimento (orgs.), *Tentativas de tomada do poder (Orvil)*.
5. Maria Celina D'Araujo, Celso Castro e Gláucio Ary Dillon Soares (orgs.), *Visões do golpe*, *Os anos de chumbo* e *A volta aos quartéis*.
6. Maria Celina D'Araujo e Celso Castro (orgs.), *Ernesto Geisel* e *Dossiê Geisel*.
7. Francisco Ruas Santos, *Marechal Castello Branco*.
8. Aricildes de Moraes Motta e Geraldo Luis Nery da Silva (coords.), *Projeto história oral do Exército*.
9. Jayme de M. Portella, *Guerra de guerrilhas no Brasil*; Carlos Alberto Brilhante Ustra, *Rompendo o silêncio* e *A verdade sufocada*; Sylvio Frota, *Ideais traídos*.
10. Cf. <http://www.memoriasreveladas.gov.br/>.

2. A gênese da ditadura (1961-1964) (p.17-46)

1. Rodrigo Patto Sá Motta, *Em guarda contra o perigo vermelho*.
2. Aline Alves Presot, *As marchas da família com Deus pela liberdade e o golpe militar de 1964*.
3. Elio Gaspari, *A ditadura envergonhada*.
4. Alusão à reflexão do historiador francês Marc Bloch sobre a "estranha derrota" da França diante da Alemanha nazista, em maio-junho de 1940. Marc Bloch, *L'Étrange défaite*. Marcos Napolitano (org.), em *Comunistas brasileiros, cultura política e produção cultural*, sem citar Marc Bloch, intitula artigo com a mesma expressão ("A 'estranha

derrota'. Os comunistas e a resistência cultural ao regime militar, 1964-1968"), mas em outro contexto e com outro sentido.

3. Ditadura ou democracia: a busca de uma identidade (1964-1968) (p.47-73)

1. Carlos Fico, *Além do golpe, versões e controvérsias sobre 1964 e a ditadura militar.*
2. Marcos Sá Corrêa, *1964: visto e comentado pela Casa Branca*; Flávio Tavares, *Memórias do esquecimento*; e Jorge Ferreira, *João Goulart, uma biografia.*
3. A avaliação é de Elio Gaspari, em *A ditadura envergonhada.*
4. Maud Chirio, *A política nos quartéis.*
5. René Dreifuss, *1964: a conquista do Estado*; Denise Assis, *Propaganda e cinema a serviço do golpe, 1962-1964.*
6. Ao longo da ditadura, 149 deputados perderam o mandato. Cf. Casimiro Neto, *A construção da democracia.*
7. O hibridismo entre democracia e ditadura levou Elio Gaspari a apelidar a ditadura de "envergonhada". Cf. Elio Gaspari, op.cit.
8. Para o conceito, Daniel Aarão Reis, *A revolução faltou ao encontro.* Entre os que defendiam uma situação de impasse catastrófico no país, cf. Celso Furtado, *Dialética do desenvolvimento* e *Subdesenvolvimento e estagnação na América Latina*; Caio Prado Jr., *A revolução brasileira*; Otavio Ianni, *Estado e capitalismo, Política e revolução social no Brasil* e *O colapso do populismo*; Theotonio dos Santos, "El nuevo carácter de la dependencia" e *Socialismo e fascismo*; Rui Mauro Marini, *Dialéctica de la dependencia* e *Subdesarrollo y revolución*; Jean-Claude Bernardet (org.), *De la república oligárquica ao Estado militar.*
9. Régis Debray, "El castrismo, la longa marcha de America Latina" e "Revolución en la revolución?". Sierra Maestra, cordilheira de altas montanhas, tomadas por espessa vegetação, no oriente de Cuba, serviu de base primeira e principal para a luta do Movimento Revolucionário 26 de Julho, vanguarda das guerrilhas cubanas (1956-1959) lideradas por Fidel Castro que levaram à deposição da ditadura de Fulgencio Batista.
10. Lucia Grinberg, *Partido político ou bode expiatório.*
11. Denise Rollemberg, "Memória, opinião e cultura política" e "A Associação Brasileira de Imprensa (ABI) e a ditadura, 1964/1974".

12. O MDB viabilizou-se apenas às vésperas do prazo final legal, fixado pelo Ato Complementar n.6, de 3 jan 1966, com 144 deputados e 21 senadores (um a mais do que o mínimo prescrito pela lei). Cf. Jairo Nicolau, *Eleições no Brasil*.
13. Beatriz Kushnir, *Cães de guarda, jornalistas e censores*.
14. Gustavo A.A. Ferreira, *Cowboys do asfalto*.
15. Frase do general Olympio Mourão Filho, que detonou o golpe de 1964 com o movimento de suas tropas. Cf. Olympio Mourão Filho, *Memórias*.
16. Elio Gaspari, *A ditadura escancarada*.

4. Os anos de ouro e de chumbo: a retomada do nacional-estatismo (1968-1974) (p.74-92)

1. Fernando Portela, *Guerra de guerrilhas no Brasil*; Leonencio Nossa, *Mata!*.
2. Daniel Aarão Reis, *A revolução faltou ao encontro*.
3. Janaína M. Cordeiro, *Lembrar o passado, festejar o presente*.
4. Gustavo A.A. Ferreira, *Cowboys do asfalto*.
5. Jairo Nicolau, *Eleições no Brasil*.
6. Atitudes que flagrei na análise da trajetória da ditadura revolucionária cubana, mas que podem ser encontradas também no Brasil. Daniel Aarão Reis, "A revolução e o socialismo em Cuba".
7. Pierre Laborie, *Les français des années troubles*.
8. É de se recordar a conhecida observação irônica do escritor e humorista Millôr Fernandes (1923-2012): "A diferença entre uma democracia e um país totalitário é que numa democracia – faça a sua pesquisa! – ninguém vive satisfeito." Em contraste, nas ditaduras, tenderia a haver um aparente, mas falso, contentamento. Seria difícil, porém, negar as evidências que obrigam a pensar a ditadura como uma construção social e histórica. Cf. Breno Serafini, *Millôres dias virão*.
9. Paul Singer, "O processo econômico".
10. Armando Boito Jr., *O sindicalismo de Estado no Brasil*. Armando Boito, naturalmente, extrai dos números apresentados conclusões próprias.
11. Cesar Augusto Martins de Souza, *A estrada invisível*.
12. Bernardo Kucinski, *O senhor K*.

13. Rodrigo Patto Sá Motta, "A modernização autoritário-conservadora nas universidades e a influência da cultura política" e *As universidades e o regime militar.*
14. Francisco Luna e Herbert Klein, "Mudanças sociais no Brasil, 1960-2000" e "Mudanças sociais no período militar".
15. G. Agamben, *Homo Sacer.*

5. O governo Geisel e os planos de uma nova institucionalização da ditadura (1974-1979) (p.93-124)

1. Eric Hobsbawm, *O século dos extremos.*
2. Elio Gaspari, *A ditadura derrotada.*
3. Francisco Carlos Teixeira da Silva, "O Brasil no mundo".
4. Elio Gaspari, op.cit., e *A ditadura encurralada.*
5. Hannah Arendt, *Eichmann à Jérusalem.*
6. Sylvio Frota, *Ideais traídos*; Elio Gaspari, *A ditadura derrotada* e *A ditadura encurralada.*
7. Elio Gaspari, *A ditadura derrotada.*
8. Marco Antonio Tavares Coelho, *Herança de um sonho.*
9. Daniel Aarão Reis, "A vida política".
10. Denise Rollemberg e Samantha Viz Quadrat, *A construção social dos regimes autoritários*; Daniel Aarão Reis, "A revolução e o socialismo em Cuba".
11. Maria Paula N. Araújo, *A utopia fragmentada.*
12. Francisco Luna e Herbert Klein, "Mudanças sociais no período militar".

6. A transição democrática (1979-1988) (p.125-48)

1. Daniel Aarão Reis, *Ditadura militar, esquerdas e sociedade* e *História do Brasil nação*, vol.5.
2. Leoncio Martins Rodrigues, *Sindicato e Estado.*
3. Pierre Laborie, *Les français des années troubles.*
4. Os dados citados foram extraídos de Paul Singer, "O processo econômico"; e de Francisco Luna e Herbert Klein, "Mudanças sociais no Brasil, 1960-2000" e "Mudanças sociais no período militar".
5. Jairo Nicolau, *Eleições no Brasil.*

7. A Constituição de 1988 e a restauração da democracia (p.149-66)

1. Cf. site do Portal da Câmara e Cedi, *O processo histórico da elaboração do texto constitucional.*
2. Mikhail Gorbatchev, *Perestroika.*
3. Cronologia dos trabalhos da Assembleia Nacional Constituinte, in Portal da Câmara.
4. Maria D'Alva Kinzo, "O quadro partidário e a Constituinte". Para os debates na Constituinte, ver também Florestan Fernandes, *A Constituinte inacabada*; Rachel Meneguello, *Partidos e governo no Brasil contemporâneo*; Leoncio Martins Rodrigues, *Quem é quem na Constituinte*; Wanderley Guilherme dos Santos, *Sessenta e quatro.*

À maneira de posfácio: reflexões sobre ditadura e democracia no Brasil (p.167-72)

1. Francisco Luna e Herbert Klein, "Mudanças sociais no Brasil, 1960-2000" e "Mudanças sociais no período militar"; Paul Singer, "O processo econômico"; Daniel Aarão Reis (org.), *História do Brasil nação*, vol.5.
2. Versos de Carlos Drummond de Andrade, *Antologia poética.*

Bibliografia

Aarão Reis, Daniel. *A revolução faltou ao encontro: os comunistas no Brasil*. São Paulo, Brasiliense, 1990.

_____. *Ditadura militar, esquerdas e sociedade*. Rio de Janeiro, Zahar, 2000.

_____. "A revolução e o socialismo em Cuba: ditadura revolucionária e construção do consenso", in Denise Rollemberg e Samantha Viz Quadrat (orgs.). *A construção social dos regimes autoritários*, vol.2. Rio de Janeiro, Civilização Brasileira, 2010, p.363-92.

_____. "A vida política", in Daniel Aarão Reis (org.). *História do Brasil nação*, vol.5. *Modernização, ditadura e democracia 1960-2010*. Rio de Janeiro, Objetiva/Mapfre, 2014.

_____ (org.). *História do Brasil nação*, vol.5. *Modernização, ditadura e democracia 1960-2010*. Rio de Janeiro, Objetiva/Mapfre, 2014.

_____, Marcelo Ridenti e Rodrigo Patto Sá Motta (orgs.). *A ditadura que mudou o Brasil*. Rio de Janeiro, Zahar, 2014.

Andrade. Carlos Drummond de. *Antologia poética*. Rio de Janeiro, José Olympio, 12ª ed., 1978.

Agamben, G. *Homo Sacer*. Belo Horizonte, UFMG, 2002.

Araújo, Maria Paula N. *A utopia fragmentada: as novas esquerdas no Brasil e no mundo na década de 1970*. Rio de Janeiro, FGV, 2000.

Arendt, Hannah. *Eichmann à Jérusalem: rapport sur la banalité du mal*. Paris, Gallimard, [1966] 2002.

Arquidiocese de São Paulo. *Brasil: nunca mais*. São Paulo, 1985.

Assis, Denise. *Propaganda e cinema a serviço do golpe, 1962-1964*. Rio de Janeiro, Mauad, 2001.

Augusto, Agnaldo Del Nero. *A grande mentira*. Rio de Janeiro, Biblioteca do Exército, 2001.

Bernardet, Jean-Claude (org.). *De la república oligárquica ao Estado militar*. México, Siglo XXI, 1968.

Bloch, Marc. *L'Étrange défaite*. Paris, Gallimard, [Testemunho escrito em 1940], 1990.

Boito, Armando. *O sindicalismo de Estado no Brasil*. Campinas, Hucitec, 1991.

Caldas, Álvaro. *Tirando o capuz*. Rio de Janeiro, Codecri, 1981.

Camargo, Aspásia e Walder de Góes. *Diálogo com Cordeiro de Farias: meio século de combates*. Rio de Janeiro, Biblioteca do Exército, 2001.

Centro de Documentação e Informação (Cedi) da Câmara dos Deputados. *O processo histórico da elaboração do texto constitucional*, 3 vols. Brasília, Câmara dos Deputados, 1992.

Chirio, Maud. *A política nos quartéis: revoltas e protestos de oficiais na ditadura militar*. Rio de Janeiro, Zahar, 2012.

Coelho, Marco Antônio Tavares. *Herança de um sonho: as memórias de um comunista*. Rio de Janeiro, Record, 2000.

Cordeiro, Janaína Martins. *Lembrar o passado, festejar o presente: as comemorações do sesquicentenário da Independência entre consenso e consentimento (1972)*. Tese de doutorado, Programa de Pós-Graduação em História, UFF, Niterói, 8 mar 2012. FGV, 2014.

Corrêa, Marcos Sá. *1964: visto e comentado pela Casa Branca*. Porto Alegre, L&PM, 1977.

D'Araujo, Maria Celina e Celso Castro (orgs.). *Ernesto Geisel*. Rio de Janeiro, FGV, 5ª ed., 1997.

______ (orgs.). *Dossiê Geisel*. Rio de Janeiro, FGV, 2002.

______ e Gláucio Ary Dillon Soares (orgs.). *Visões do golpe: a memória militar sobre 1964*. Rio de Janeiro, Relume Dumará, 1994.

______ (orgs.). *Os anos de chumbo: a memória militar sobre a repressão*. Rio de Janeiro, Relume Dumará, 1994.

______ (orgs.). *A volta aos quartéis: a memória militar sobre a abertura*. Rio de Janeiro, Relume Dumará, 1995.

Debray, Régis. "El castrismo, la longa marcha de America Latina", in *Ensayos sobre America Latina*. México, Era, 1969.

______. "Revolución en la revolución?", in *Ensayos sobre America Latina*. México, Era, 1969.

Dreifuss, René. *1964: a conquista do Estado*. Petrópolis, Vozes, 1981.

Fernandes, Florestan. *A Constituinte inacabada*. São Paulo, Estação Liberdade, 1989.

Ferreira, Gustavo Alves Alonso. *Cowboys do asfalto: música sertaneja e modernização brasileira*. Tese de doutorado, Programa de Pós-Graduação em História, UFF, Niterói, 27 mai 2011. Rio de Janeiro, Civilização Brasileira, no prelo.

Ferreira, Jorge. *João Goulart, uma biografia*. Rio de Janeiro, Civilização Brasileira, 2011.

Fico, Carlos. *Além do golpe, versões e controvérsias sobre 1964 e a ditadura militar*. Rio de Janeiro, Record, 2004.

______. *O Grande Irmão: da Operação Brother Sam aos anos de chumbo. O governo dos Estados Unidos e a ditadura militar brasileira*. Rio de Janeiro, Civilização Brasileira, 2008.

Frota, Sylvio. *Ideais traídos*. Rio de Janeiro, Zahar, 2006.

Furtado, Celso. *Dialética do desenvolvimento*. Rio de Janeiro, Fundo de Cultura, 1964.

______. *Subdesenvolvimento e estagnação na América Latina*. Rio de Janeiro, Civilização Brasileira, 1966.

Gabeira, Fernando. *O que é isso, companheiro?*. Rio de Janeiro, Codecri, 1979.

Gaspari, Elio. *A ditadura envergonhada*. São Paulo, Companhia das Letras, 2002.

______. *A ditadura escancarada*. São Paulo, Companhia das Letras, 2002.

______. *A ditadura derrotada*. São Paulo, Companhia das Letras, 2003.

______. *A ditadura encurralada*. São Paulo, Companhia das Letras, 2004.

Gorbatchev, Mikhail. *Perestroika*. São Paulo, Best-Seller, 1987.

Grinberg, Lucia. *Partido político ou bode expiatório: um estudo sobre a Aliança Renovadora Nacional (Arena), 1965-1979*. Rio de Janeiro, Mauad/Faperj, 2009.

Hobsbawm, Eric. *O século dos extremos*. São Paulo, Companhia das Letras, 1995.

Ianni, Octavio. *Estado e capitalismo*. Rio de Janeiro, Civilização Brasileira, 1965.

______ (org.). *Política e revolução social no Brasil*. Rio de Janeiro, Civilização Brasileira, 1966.

______. *O colapso do populismo*. Rio de Janeiro, Civilização Brasileira, 1968.

IPM n.709. *O comunismo no Brasil*, 4 vols. Rio de Janeiro, Biblioteca do Exército, 1966-67.

Kinzo, Maria D'Alva. "O quadro partidário e a Constituinte", in Bolívar Lamounier (org.). *De Geisel a Collor, o balanço da transição*. São Paulo, Idesp, 1990.

Kucinski, Bernardo. *O senhor K*. São Paulo, Expressão Popular, 2011.

Kushnir, Beatriz. *Cães de guarda, jornalistas e censores: do AI-5 à Constituição de 1988*. São Paulo, Boitempo, 2004.

Laborie, Pierre. *Les français des années troubles: de la guerre d'Espagne à la libération*. Paris, Desclée de Brouwer, 2003.

Luna, Francisco e Herbert Klein. "Mudanças econômicas no período militar", in Daniel Aarão Reis, Marcelo Ridenti e Rodrigo Patto Sá Motta (orgs.). *A ditadura que mudou o Brasil*. Rio de Janeiro, Zahar, 2014.

_____. "Mudanças sociais no Brasil, 1960-2000", in Daniel Aarão Reis (org.). *História do Brasil nação*, vol.5. *Modernização, ditadura e democracia*. Rio de Janeiro, Objetiva/Mapfre, 2014.

_____. "Mudanças sociais no período militar", in Daniel Aarão Reis, Marcelo Ridenti e Rodrigo Patto Sá Motta (orgs.). *A ditadura que mudou o Brasil*. Rio de Janeiro, Zahar, 2014.

Maciel, Lício e Nascimento, José Conegundes do. *Tentativas de tomada do poder (Orvil)*. São Paulo, Schoba, 2012. Disponível em: <www.averdadesufocada.com>.

Marini, Rui Mauro. *Subdesarrollo y revolución*. México, Siglo XXI, 1969.

_____. *Dialéctica de la dependencia*. México, Era, 11ª reimpressão, 1991.

Mello, A. Thiago de. *Faz escuro, mas eu canto*. Rio de Janeiro, Civilização Brasileira, 1966.

Meneguello, Rachel. *Partidos e governo no Brasil contemporâneo, 1985-1997*. São Paulo, Paz e Terra, 1998.

Motta, Aricildes de Moraes (coord. geral) e Geraldo Luis Nery Silva (coord. do projeto). *Projeto história oral do Exército. 1964 – 31 de março, o movimento revolucionário e sua história*, 14 tomos. Rio de Janeiro, Biblioteca do Exército, 2004.

Motta, Rodrigo Patto Sá. *Em guarda contra o perigo vermelho: o anticomunismo no Brasil (1917-1964)*. São Paulo, Perspectiva, 2002.

_____. "A modernização autoritário-conservadora nas universidades e a influência da cultura política", in Daniel Aarão Reis, Marcelo Ridenti e Rodrigo Patto Sá Motta (orgs.). *A ditadura que mudou o Brasil*. Rio de Janeiro, Zahar, 2014.

_____. *As universidades e o regime militar: cultura política brasileira e modernização autoritária*. Rio de Janeiro, Zahar, 2014.

Mourão Filho, Olympio. *Memórias. A verdade de um revolucionário*. Porto Alegre, L&PM, 1978.

Napolitano, Marcos. "A 'estranha derrota'. Os comunistas e a resistência cultural ao regime militar, 1964-1968", in Marcos Napolitano, Rodrigo Czajka e Rodrigo Patto Sá Motta (orgs.). *Comunistas brasileiros, cultura política e produção cultural*. Belo Horizonte, UFMG, 2013, p.317-38.

_____, Rodrigo Czajka e Rodrigo Patto Sá Motta (orgs.). *Comunistas brasileiros, cultura política e produção cultural*. Belo Horizonte, UFMG, 2013.

Neto, Casimiro. *A construção da democracia*. Brasília, Centro de Documentação e Informação, Câmara dos Deputados, 2003.

Nicolau, Jairo. "As distorções na representação dos estados na Câmara dos Deputados brasileira", *Dados*, 40(3), Rio de Janeiro, Iuperj, 1997.

_____. *Eleições no Brasil: do império aos dias atuais*. Rio de Janeiro, Zahar, 2012.

Nossa, Leonencio. *Mata! O Major Curió e as guerrilhas no Araguaia*. São Paulo, Companhia das Letras, 2012.

Pedrosa, José Fernando. *A grande barreira*. Rio de Janeiro, Biblioteca do Exército, 2001.

Polari, Alex. *Em busca do tesouro*. Rio de Janeiro, Codecri, 1982.

Portal da Câmara dos Deputados, Brasília. Disponível em: <www2.camara.leg.br>. Acesso em: 15 ago 2013.

Portela, Fernando. *Guerra de guerrilhas no Brasil*. São Paulo, Global, 1979.

Portella, Jayme de M. *A revolução e o governo Costa e Silva*. Rio de Janeiro, Guaíra, 1979.

Prado Jr., Caio. *A revolução brasileira*. São Paulo, Brasiliense, 1966.

Presot, Aline Alves. *As marchas da família com Deus pela liberdade e o golpe militar de 1964*. Dissertação de mestrado, Programa de Pós-Graduação em História, UFRJ, Rio de Janeiro, 2004.

Rodrigues, Leoncio Martins. *Sindicato e Estado*. São Paulo, Ática, 1980.

_____. *Quem é quem na Constituine: uma análise sociopolítica dos partidos e dos deputados*. São Paulo, Oesp/Maltese, 1987.

Rollemberg, Denise. *Exílio: entre raízes e radares*. Rio de Janeiro, Civilização Brasileira, 1999.

_____. "Memória, opinião e cultura política: a Ordem dos Advogados do Brasil sob a ditadura, 1964-1974", in Daniel Aarão Reis e Denis Rolland (orgs.). *Modernidades alternativas*. Rio de Janeiro, FGV, 2008, p.57-96.

_____. "A Associação Brasileira de Imprensa (ABI) e a ditadura, 1964/1974", in Denise Rollemberg e Samantha Viz Quadrat (orgs.). *A construção social dos regimes autoritários: legitimidade, consenso e consentimento no século XX*, 3 vols. *Brasil e América Latina*, vol.2. Rio de Janeiro, Civilização Brasileira, 2010, p. 97-144.

_____ e Samantha Viz Quadrat (orgs.). *A construção social dos regimes autoritários: legitimidade, consenso e consentimento no século XX*, 3 vols. Rio de Janeiro, Civilização Brasileira, 2010.

Santos, Francisco Ruas. *Marechal Castello Branco*. Rio de Janeiro, Biblioteca do Exército, 2004.

Santos, Theotonio dos. "El nuevo carácter de la dependencia", in J.M. Mar (org.). *La crisis del desarrollismo y la nueva dependencia*. Buenos Aires, Amorrortu, 1969.

_____. *Socialismo o fascismo: dilema latino-americano*. Santiago, Prensa Latinoamericana, 1969.

Santos, Wanderley Guilherme dos. *Sessenta e quatro: anatomia da crise*. Vértice, Rio de Janeiro, 1986.

Serafini, Breno. *Millôres dias virão*. Porto Alegre, Libretos Universidade, 2013.

Silva, Francisco Carlos Teixeira da. "O Brasil no mundo", in Daniel Aarão Reis (org.). *História do Brasil nação*, vol.5. *Modernização, ditadura e democracia*. Rio de Janeiro, Objetiva/Mapfre, 2014.

Singer, Paul. "O processo econômico", in Daniel Aarão Reis (org.). *História do Brasil nação*, vol.5. *Modernização, ditadura e democracia, 1960-2010*. Rio de Janeiro, Objetiva/Mapfre, 2014.

Sirkis, Alfredo. *Os carbonários*. São Paulo, Global, 1980.

Souza, Cesar Agusto Martins de. *A estrada invisível: memórias da Transamazônica*. Tese de doutorado, Programa de Pós-Graduação em História, UFF, Niterói, 4 jun 2012.

Tavares, Flávio. *Memórias do esquecimento*. Porto Alegre, L&PM, 2004.

Ustra, Carlos Alberto Brilhante. *Rompendo o silêncio*. Brasília, Editerra, 1974.

_____. *A verdade sufocada*. Brasília, Ser, 2006.